書香傳家

毛佩琦書

壬寅季夏
京師近道堂刊

六韜·三略

第一冊

〔西周〕太公望
〔漢〕黃石公 著
崇賢書院 釋譯

北京聯合出版公司

六韜·三略

第一冊

〔西周〕太公望
〔漢〕黃石公 著
崇賢書院 釋譯

北京聯合出版公司

書香傳家系列圖書學術顧問

樓宇烈（資深國學名家、北京大學哲學系教授）
閻崇年（著名歷史學家、央視《百家講壇》主講人）
毛佩琦（中國人民大學歷史系教授）
王守常（北京大學哲學系教授）
任德山（人文學者、央視有綫173書畫頻道主講人）
呂宇斐（中國美術學院視覺中國協同創新中心客座教授、研究生導師）
孟憲實（中國人民大學歷史系教授）
楊朝明（原中國孔子研究院院長、原國際儒學聯合會副理事長）
董　平（浙江大學哲學系教授）
杜保瑞（上海交通大學特聘教授、臺灣大學哲學系教授）
張　辛（人文書法家、北京大學考古文博學院教授）
辛德勇（北京大學中國古代史研究中心教授）
余世存（文化學者、暢銷書作家）

編委會

學術顧問
編纂委員會

書香傳家

書香傳家系列圖書出版編纂委員會

主　編
李　克（崇賢館館長）

叢書題字
毛佩琦（中國人民大學歷史系教授）

裝幀設計
孫世良　周　亮　楊延京

出版編輯委員會
路　茸　王德重　李宏濤　黃玉蘭　譚　爽　張少華

排版製作
趙樂紅　趙軍安　朱　澤

前言

《六韜》，又稱《太公六韜》、《太公兵法》，對世界觀、價值觀及戰略論均有獨到見解。書中以周文王、周武王和姜太公對話的形式闡述了治國、治軍的正確思想。姜太公在書中重點闡述了領導者正確的世界觀，「天下非一人之天下，乃天下之天下也」，沒有正確的世界觀、價值觀，競爭就會失去正確的方向。但書中也大量闡述了陰謀手段的具體思路和操作辦法。今天在競爭中我們不崇尚使用陰謀詭計，但不可不防別人對自己實施陰謀詭計。

《黃石公三略》又稱《三略》、《素書》，傳作者爲民間隱士黃石公，他將此書贈與張良，曰：「讀此書可爲帝王師。」張良憑此兵法輔助劉邦建立了大漢王朝。此書是融合了先秦諸子百家思想而在戰略與治國方略上提出獨到見解的優秀兵法著作，理論恢弘，文辭優美，字字珠璣。《三略》開篇：「夫主將之法，務攬英雄之心，賞祿有功，通志於衆。治國安家，得人也；亡國破家，失人也。含氣之類咸願得其志。」把人力資源管理的重要性進行透徹闡釋。兩千多年前的《三略》已明確昭告天下「得人」與「失人」的利弊。若論如何選人用人，兵法中有其完善的理論體系。中國文化中，無論用能人還是用奴才或「使智使勇使貪使愚」，全有一整套的理論與技巧支持，無論獎懲，全有手段操作。《三略》還具體地提示了領導者的責任，「軍國之要，察衆心，施百務。危者安之，懼者歡之，卑者貴之……」，即一位領導者的任務不是親自做具體工作，首要應該是「察衆心」，調衆心。近代史中僅憑「卑者貴之」四字即可奪得天下，法力無邊，遑論其他。《三略》還對必敗的領導者素質進行了強烈告誡：「夫將，拒諫，則英雄散；策不從，則謀士叛；善惡同，則功臣倦；專己，則下歸咎；自伐，則下少功；信讒，則衆離心；貪財，則奸不禁；內顧，則士卒淫。將有一，則衆不服；有二，則軍無式；有三，則下奔北；有四，則禍及國。」不用等結果出來再總結「深刻」教訓，見人見行即見果。枕《三略》，當今管理類之書盡可焚之。

書香傳家系列之《六韜·三略》，繼承古代傳統工藝、對接歷代版刻精華，采用宣紙印裝形式，原文字體選用清乾隆武英殿版刻書字體，以其獨特藝術性和收藏性，鶴立於信息泛濫時代。本書由畫家、版刻學家孫世良先生親自指導設計，其審美表現氣象非凡、自成一格。書籍整體裝幀選用明代綫裝書形式，同時融入現代設計元素，古樸典雅中有當代審美氣息。每個時代必有自己的經典與審美的呈現，近道堂「書香傳家系列」，集當代學者和藝術家的思想和創意之精華，致力於打造當代經典的珍稀版本，使其傳之後世。

近道堂

辛丑季冬記於京師

目錄

第一冊

六韜

第二冊

文韜

文師第一

【原文】**文王將田①，史編佈卜曰②：「田於渭陽③，將大得焉。非龍，非彲④，非虎，非羆⑤，兆⑥得公侯。天遺⑦汝師，以之佐昌⑧，施及三王。」**

【注釋】①文王：指周文王，姬姓，名昌，商末西方諸侯之長。田：通「畋」，打獵。②史編：名爲編的史官。當時的史官兼管占卜之事。佈卜：占卜。當時的占卜方式是在龜甲或牛胛骨背面鑽孔，然後用火燒灼，根據產生的裂紋來判斷吉凶。③渭陽：渭水北岸。河流北岸爲陽，南岸爲陰。④彲：同「螭」，傳說中一種不長角的龍。⑤羆：棕熊。⑥兆：占卜時龜甲或牛胛骨上產生的紋路。古人以此作爲吉凶的徵兆。⑦遺：贈予。⑧昌：周文王的名。

【譯文】文王將要外出打獵，史官占卜之後說：「在渭水北岸打獵，

將大有收獲。所獲之物不是龍，不是彲，不是虎，不是羆，根據徵兆判斷，君上將會得到公侯之才。上天把老師贈予君上，輔佐您成就大業，並施惠於後世三代君王。」

【原文】**文王曰：「兆致是乎？」**

史編曰：「編之太祖史疇爲禹①占，得皋陶②，兆比③於此。」

【注釋】①禹：傳說中夏后氏部落的首領，夏王朝的開創者。②皋陶：相傳爲虞舜時期的司法官，後成爲禹的輔臣。③比：類似。

【譯文】文王問：「卜兆真的是這樣嗎？」

史編回答：「我的祖上、擔任史官的疇爲禹占卜，卜兆預示將得到皋陶，其徵兆與此類似。」

【原文】**文王乃齋①三日，乘田車②，駕田馬③，田於渭陽，卒見太公④，坐茅以漁。**

【注釋】①齋：齋戒。②田車：打獵所用的車，比一般的戰車

呂尚
姓姜，名尚，字子牙，東呂鄉東呂里（今山東日照東）人，其先祖掌管四嶽有功，封於呂（今河南宛縣），子孫從封地改姓，故名呂尚。呂尚飽學，深明兵法戰策，但家極貧。曾去殷商都城朝歌求仕，不成，幾番輾轉後，在渭水茲源釣魚爲生。當他八十歲時，即約公元前一一二三年，遇見了西伯侯姬昌，姬昌認定他是難得的賢才，便禮聘他爲專管軍事的「師」，後又尊稱其爲「太公望」。

略小。③田馬：打獵時駕駛田車的馬。④太公：指呂尚。

譯文　文王於是齋戒三天，然後乘坐田車，駕駛田馬，到渭水北岸行獵，終於見到太公正坐在岸邊的茅草上釣魚。

原文　**文王勞①而問之曰：「子②樂漁邪？」**

太公曰：「臣聞君子③樂得其志，小人④樂得其事。今吾漁，甚有似也，殆⑤非樂之也。」

注釋　①勞：慰勞。②子：古代對男子的尊稱。③君子：周代對貴族階層的通稱。這裏指有教養有身份的人。④小人：周代對下層勞動人民的稱謂。⑤殆：大概。

譯文　文王走過去慰勞太公，並問道：「您喜歡釣魚嗎？」

太公說：「我聽說，君子樂於實現自己的抱負，小人樂於做好自己的工作。如今我在這裏釣魚，情況與此非常相似，而並不是眞正喜歡釣魚這件事。」

原文　**文王曰：「何謂其有似也？」**

太公曰：「釣有三權[1]：祿等以權，死等以權，官等以權。夫釣以求得也，其情深，可以觀大矣。」

注釋 ①權：權術。

譯文 文王問：「爲什麼説您釣魚的情況與此相似呢？」

太公回答：「釣魚有三種權術：用魚餌誘使魚兒上鉤，這就等同於用俸祿招攬人才，這是一種權術；用魚餌誘使魚兒冒死爭食，就等同於用重金收買勇士慷慨赴死，這是一種權術；使釣得的不同類型的魚各盡其用，這就等同於根據人才的能力授予相應的官職，這也是一種權術。釣魚，是爲了得到魚，其道理十分深奥，可以用來參悟更大的事情。」

原文 文王曰：「願聞其情。」

太公曰：「源深而水流，水流而魚生之，情也。根深而木長，木長而實生之，情也。君子情同而親合，親合而事生之，情也。言語應對者，情之飾也；言至情者，事之極[1]也。今臣言至情不諱，君其惡[2]之乎？」

注釋 ①極：極致，最高境界。②惡：厭惡。

譯文 文王説：「我願意聽一聽其中的詳情。」

太公説：「源頭夠深，水纔能常流不息；水流不息，魚類纔能生存，這是自然之理。根鬚夠深，樹木纔能長成；樹木長成，纔能結出果實，這也是自然之理。君子之間情投意合，就能夠親密無間；親密無間，就能夠成就事業，這同樣是自然之理。言語應答，是感情的表達形式；言語與真情相合，這是表達事理的極致。如今我要談論真情而毫不隱諱，您會反感嗎？」

原文 文王曰：「惟仁人能受至諫，不惡至情，何爲其然？」

太公曰：「緡[1]微餌明，小魚食之；緡調[2]餌香，中魚食之；緡隆[3]餌豐，大魚食之。夫魚食其餌，乃牽[4]於緡；人食其祿，乃服於君。故以餌取魚，魚可殺；以祿取人，人可竭[5]；以家取國，國可拔；以國取天下，天下可畢[6]。嗚呼！曼曼綿綿[7]，其聚必散；嘿嘿昧昧⑧，其光必遠。微哉！聖人之德，誘乎獨見⑨。樂哉！聖人之慮，各歸其次，而樹斂⑩焉。」

【注釋】①緡：釣絲。②調：調和，這裏指大小合適。③隆：粗大。④牽：指上鈎受到牽制。⑤竭：竭盡全力。⑥畢：完成。⑦綿綿：綿延不斷。⑧昧昧：純厚而不外顯。⑨獨見：見解獨到，先知先覺。⑩斂：收攬，聚集。

【譯文】文王問：「祇有仁德之人能夠接受直諫，不厭惡眞情實話，我又怎麼會對您的話產生反感呢？」

太公回答：「釣絲細微，魚餌明顯，小魚就會將魚餌吞食；釣絲粗細適中，魚餌香美，中等大小的魚就會將魚餌吞食；釣絲粗大，魚餌豐厚，大魚就會將魚餌吞食。魚吞食了魚餌，就會被釣絲所牽制；人得到了俸祿，就會臣服於君主。所以，用魚餌來釣魚，就可以將魚捕殺；用俸祿來招攬人才，人才就會竭力效命；以家爲誘餌謀取一國，就可以將該國奪得；以國爲誘餌謀取天下，就可以使天下完全爲我所有。唉！國運看似綿綿不絕，但如果沒有凝聚人心，最終必將離散；國君看似默默無聞，不自我顯露，但他的光輝必將照耀遠方。微妙啊！聖人的德行，就在於見解獨到，先知先覺。値得高興啊！聖人的思慮，是使人們各自處在合適的位置，從而確立收攬人心的方法。」

【原文】文王曰：「樹斂若何而天下歸之？」

太公曰：「天下非一人之天下，乃天下之天下也。同天下之利者，則得天下；擅①天下之利者，則失天下。天有時，地有財，能與人共之者，仁也。仁之所在，天下歸之。免人之死，解人之難，救人之患，濟人之急者，德也。德之所在，天下歸之。與人同憂、同樂、同好、同惡者，義也。義之所在，天下赴②之。凡人惡死而樂生，好德而歸利，能生利者，道也。道之所在，天下歸之。」

【注釋】①擅：專擅，獨享。②赴：趕赴，歸順。

【譯文】文王問：「如何確立收攬人心的方法纔能使天下人歸附呢？」太公回答：「天下並不是某一個人的，而是天下所有人的。能與天下人共享利益的人，就可以得到天下；獨享天下利益的人，就會失去天下。天有四時，地生財富，能與人們共同享有，這就是『仁』。有『仁』的地方，天下人就會歸附。爲他人免除死亡的危險，解除他人的危難，解救別人的禍患，周濟別人的急需，這就是『德』。有『德』的地方，天下人就會歸附。與人們一起憂慮，一起歡樂，有共同的喜好，有共同的憎惡，這就是『義』。有『義』的地方，天下人就會趕赴那裏去歸順。凡是人，都厭惡死亡而喜好生存，喜好美德而趨向利益，能爲天下人創造利益，這就是『道』。有『道』的地方，天下人就會歸附。」

【原文】**文王再拜①曰：「允②哉！敢不受天之詔命乎！」乃載與俱歸，立爲師。**

【注釋】①再拜：連拜兩次。②允：誠然。

【譯文】文王對着太公連拜兩次，說道：「說得太對了！我怎敢不接受上天委託您向我傳達的詔命呢？」於是，周文王請太公同車而歸，並拜太公爲師。

盈虛第二

【原文】**文王問太公曰：「天下熙熙①，一盈一虛②，一治一亂，所以然者，何也？其君賢不肖③不等乎？其天時變化自然乎？」**

太公曰：「君不肖，則國危而民亂；君賢聖，則國安而民治。禍福在君，不在天時。」

【注釋】①熙熙：紛亂繁多的樣子。②一盈一虛：指氣運的盛衰。③不肖：與「賢」相反，無德無才。

【譯文】文王問太公：「天下事物紛亂繁雜，氣運有時旺盛有時衰弱，國家有時安定有時混亂。之所以出現這種情況，原因何在呢？是因爲國君有賢與不賢的差別嗎？是因爲天時變化自然產生的結果嗎？」

太公回答：「國君無才無德，國家就會危險，民衆就會混亂；國君賢德聖明，國家就會安定，民衆就會得到治理。國家的禍福在於君主，而不在於天時。」

原文　**文王曰：「古之賢君可得聞乎？」**

太公曰：「昔者帝堯①之王天下，上世所謂賢君也。」

注釋　①堯：傳說中古代部落聯盟的首領，陶唐氏，名放勛，又稱唐堯。

譯文　文王問：「古代賢明君主的情況，我能聽聽嗎？」

太公回答：「從前帝堯依靠德政統治天下，他就是上古時代所謂的賢明君主。」

原文　**文王曰：「其治如何？」**

太公曰：「帝堯王天下之時，金銀珠玉不飾，錦繡文綺不衣①，奇怪珍異不視，玩好②之器不寶，淫佚③之樂不聽，宫垣屋宇不堊④，甍、桷、椽、楹不斫⑤，茅茨⑥偏庭不剪。鹿裘⑦禦寒，布衣掩形，糲粱⑧之飯，藜藿⑨之羹。不以役作之故，害民

耕績之時。削心約志⑩，從事乎無爲⑪。吏忠正奉法者尊其位，廉潔愛人者厚其祿。民有孝慈者愛敬之；盡力農桑者慰勉之。旌別淑德⑫，表其門閭⑬。平心正節，以法度禁邪僞。所憎者，有功必賞；所愛者，有罪必罰。存養天下鰥寡孤獨⑭，賑贍⑮禍亡之家。其自奉也甚薄，其賦役⑯也甚寡，故萬民富樂而無飢寒之色。百姓戴⑰其君如日月，親其君如父母。」

文王曰：「大哉！賢君之德也！」

注釋　①衣：用作動詞，穿着。②玩好：賞玩，喜好。③淫佚：輕浮放蕩。④堊：用白土粉飾。⑤斫：大鋤，引申爲用刀、斧等砍削。⑥茨：蒺藜。⑦鹿裘：用鹿皮做的大衣。⑧糲粱：糙米。⑨藜藿：藜和藿。泛指粗劣的飯菜。藜，一種可食用的野菜。藿，豆類植物的葉子。⑩削心約志：抑制欲望。心、志：都指欲望。⑪無爲：無所作爲。指順其自然，以清靜虛無求得安定。⑫淑：善，美好。⑬閭：里巷的大門。⑭鰥寡孤獨：泛指老弱無依的人。鰥，老而無妻的人。寡，老而無夫的人。孤，幼而無父的人。獨，老而無子的人。⑮賑贍：用財物周濟。⑯賦役：賦稅和徭役的合稱。中國古代，賦初指兵賦。春秋後期，各國開始從田畝徵賦，賦和稅逐漸混合。秦漢以後，賦指按户口徵收的稅，徭役則另行徵發，賦和役開始有明顯的區別。⑰戴：這裏是尊奉、推崇的意思。

譯文 文王問：「帝堯是如何治理天下的？」

太公回答：「帝堯稱王天下的時候，不用金銀珠玉作裝飾品，不穿用花紋華麗的精美絲織物做成的衣服，不觀賞奇異珍貴的物品，不把賞玩的器具當作寶貝，不聽輕浮放蕩的音樂，不用白土粉飾宮廷的牆垣，不雕飾甍、桷、椽、楹，不修剪庭院中的茅草、蒺藜。穿鹿皮做的大衣抵禦嚴寒，用粗布做衣服遮蔽身體，吃粗糧飯，喝野菜和豆葉湯。不因爲徵發勞役的緣故妨害、耽擱農民耕田織布。抑制欲望，清靜無爲。官吏中忠誠守法的就提高他的地位，廉潔愛民的就增加他的俸祿。對百姓中有孝敬和慈愛之心的人就給予尊敬；對百姓中盡力從事種地和養蠶的人給予鼓勵。區別百姓中善良美好的人，在他的家門口進行表彰。保持公平之心，端正操守，利用法令和制度禁止奸邪詐僞的行爲。對自己所厭惡的人，如果建立了功勛同樣給予獎賞；對自己所喜歡的人，如果犯了罪同樣給予懲罰。撫養天下無所依靠的老弱幼小，用財物周濟遭受天災人禍的家庭。而他自己的生活卻非常簡樸，加在百姓身上的賦稅和徭役也很少，所以所有百姓的生活都富足歡樂，臉上沒有飢寒之色。百姓尊崇帝堯就像景仰日月一樣，親近帝堯就像親近自己的父母一樣。」

文王說：「偉大啊！帝堯眞是一位賢德的君主！」

國務第三

原文 文王問太公曰：「願聞爲國之大務①，欲使主尊人安，爲之奈何？」

太公曰：「愛民而已！」

注釋 ①大務：要務。

譯文 文王問太公：「我希望聽聽治國的要務，要想使君主受到尊崇，百姓獲得安寧，應該怎麼做？」

太公回答：「衹要愛護百姓就可以了。」

原文 文王曰：「愛民奈何？」

太公曰：「利而勿害，成而勿敗，生而勿殺①，與而勿奪，樂而勿苦，喜而勿怒。」

注釋 ①殺：這裏指傷害、敗壞。

譯文 文王問：「應當如何愛護百姓呢？」

太公回答：「使百姓獲得利益而不要加以損害，使百姓獲得收成而不要耽誤他們的農時，使百姓生存下去而不要加以傷害，給予百姓實惠而不要進行掠奪，使百姓生活快樂而不要使其蒙受痛苦，使百姓喜悅而不要使其怨恨憤怒。」

原文 文王曰：「敢①請釋其故。」

太公曰：「民不失務，則利之；農不失時，則成之；省刑罰，則生之；薄賦斂②，則與之；儉宮室臺榭，則樂之；吏清不苛擾③，則喜之。民失其務，則害之；農失其時，則敗之；無罪而罰，則殺之；重賦斂，則奪之；多營宮室臺榭以疲民力，則苦之；吏濁苛擾，則怒之。故善爲國者，馭④民如父母之愛子，如兄之愛弟。見其飢寒，則爲之憂；見其勞苦，則爲之悲；賞罰如加於身，賦斂如取己物。此愛民之道也。」

注釋 ①敢：謙辭，冒昧的意思。②賦斂：田賦，稅收。③苛擾：狠虐、騷擾。④馭：駕馬爲馭，駕車爲御，這裏引申爲治理。

譯文 文王說：「我冒昧地請您解釋一下其中的道理。」

太公回答：「使民衆不失去職業，就是使他們獲得利益；使農民不失農時，就是促成了農業生產；減省刑罰，就是保證了民衆的生存繁育；少徵收田賦、稅收，就是給予民衆實惠；少營建宮室臺榭，就是使民衆生活安樂；官吏清廉，不盤剝騷擾，就是使民衆喜悅。使民衆失去職業，就是損害他們的利益；使農時受到耽擱，就是敗壞了農業生產；民衆無罪卻加以懲罰，就是對他們進行傷害；橫徵暴斂，就是加重他們的負擔；大肆營建宮室臺榭而使民力疲憊，就是使民衆痛苦；官吏貪污，盤剝騷擾，就是使民衆心懷怨憤。所以善於治理國家的君主，治理民衆就像父母關愛子女，兄長愛護弟妹一樣。看到他們挨餓受凍，就爲他們憂慮；看到他們勞苦，就爲他們悲傷；對他們施行獎賞或懲罰，就像加在自己身上一樣；向他們徵收賦稅，就像奪取自己的資財一樣。這些，就是愛護民衆的道理和方法。」

大礼第四

原文 **文王問太公曰：「君臣之禮①如何？」**

太公曰：「爲上唯臨②，爲下唯沈③；臨而無遠，沈而無隱。

爲上唯周④，爲下唯定⑤；周則⑥天也，定則地也。或天或地，大禮乃成。」

注釋 ①禮：禮儀規範和行爲準則。②臨：居高臨下。這裏指監臨、君臨，即高高在上進行統治。③沈：沈伏。這裏指居下服上，臣服。④周：遍及，普遍。這裏指監臨一切，普施恩惠。⑤定：安定，穩定。這裏指安穩地接受統治。⑥則：效法。

譯文 文王詢問太公說：「君臣之間的禮法應該怎樣確定？」

太公回答：「爲君主的要能居高臨下洞察下情，爲臣民的要沈伏於下臣服君主；君主居高臨下洞察下情在於不疏遠民衆，臣民臣服於下在於不能隱瞞私情。爲君主的要普施恩惠，爲臣民的要安分守法；君主普施恩惠要效法蒼天覆蓋萬物，臣民安分守法要效法大地穩重厚實。君主效法蒼天，臣民效法大地，君臣之間的禮法就確定了。」

【原文】**文王曰：「主位①如何？」**

太公曰：「安徐②而靜，柔節③先定；善與而不爭，虛心平志，待物以正。」

【注釋】①位：處位，居位。②安徐：安詳從容，指不妄動。③柔節：以和柔爲節度，指不猛烈。

【譯文】文王問：「君主應該怎樣處於君位？」

太公回答：「安詳從容而沈潛清靜，柔和有節而胸有成竹；要善於施恩於民而不同他們爭奪利益，做到虛心靜氣，志平而不徇私，處理事務公平正直。」

【原文】**文王曰：「主聽①如何？」**

太公曰：「勿妄②而許，勿逆③而拒；許之則失守④，拒之則閉塞。高山仰之，不可極也；深淵度之，不可測也。神明之德，正靜⑤其極。」

【注釋】①聽：指聽取意見。②妄：輕率。③逆：迎。④失守：喪失節操。⑤正靜：思慮精誠，心氣平靜。

【譯文】文王問：「君主應該怎樣聽取意見呢？」

太公回答：「不要輕率地表示贊同，不要迎頭就予以拒絕；輕率地贊同就容易喪失節操，迎頭拒絕就容易閉塞言路。君主要像高山那樣，令臣下仰望，卻難以看到巔峰；要像深淵一樣，令臣下揣摩，卻難以測量深度。神聖英明的君主之德，就是思慮精誠，心氣平靜到了極致。」

【原文】**文王曰：「主明如何？」**

太公曰：「目貴明①，耳貴聰②，心貴智③。以天下之目視，則無不見也；以天下之耳聽，則無不聞也；以天下之心慮，則無不知也。輻輳④並進，則明不蔽矣。」

【注釋】①明：指視覺敏銳。②聰：指聽覺敏銳。③智：指善於思考。④輻輳：車輻集中於車轂，比喻會聚歸攏。

【譯文】文王問：「君主怎樣纔能英明而洞察一切？」

太公回答：「眼睛以視覺敏銳爲貴，耳朵以聽覺敏銳爲貴，頭腦以善於思考爲貴。依靠天下人的眼睛去看，那麼沒有什麼是看不見的；依靠天下人的耳朵去聽，那麼沒有什麼是聽不到的；依靠天下人的頭腦去思考，那麼沒有什麼是不知道的。像車輻集中到車軸一樣，將四面八方的見聞和智慧彙集到君主那裏，那麼君主就能洞察一切而不受蒙蔽。」

明傳第五

原文 **文王寢疾①，召太公望，太子發②在側。曰：「嗚呼！天將棄予③，周之社稷④將以屬汝。今予欲師至道⑤之言，以明傳之子孫。」**

太公曰：「王何所問？」

注釋 ①寢疾：卧病。②太子發：文王次子，名發。文王死後，即位爲君，後完成滅商事業，建立西周王朝，史稱武王。③天將棄予：謂上天即將拋棄自己，委婉地表達了自己即將死去。④社稷：土神和穀神，古時天子和諸侯都祭祀社稷神，後來就用社稷代表國家。⑤至道：最好的學說、道德或政治制度。

譯文 文王卧病在床，召見太公望，太子姬發在旁。文王說：「唉！上天將要拋棄我了，周朝的國家大事就托付給你了。現在我想要聽您講講至理名言，並把這些話明確地傳給子孫後代。」

太公問道：「大王要問些什麼？」

原文 **文王曰：「先聖之道，其所止①，其所起②，可得聞乎？」**

太公曰：「見善而怠，時至而疑，知非而處，此三者，道之所止也；柔而靜，恭而敬，強而弱，忍而剛，此四者，道之所起也。故義③勝欲則昌，欲勝義則亡；敬勝怠則吉，怠勝敬則滅。」

注釋 ①止：指消亡堙沒。②起：指復興發展。③義：大義，高尚的原則。

故義勝乎欲者則國昌欲勝乎義者則國亡敬勝乎怠者則獲吉怠勝乎敬者則必滅義者心之制事之宜乃天理之公也欲者目之於色耳之於聲鼻之於臭口之於味四肢之於安佚乃人欲之私也敬者整齊收斂主一無適聖學之所以成始而成終者也怠者心志怠惰處己接物皆不能敬謹也

譯文 文王問：「古代先賢的治國之道，爲什麽會消亡堙沒，爲什麽會復興發展，您能講給我聽聽嗎？」

太公回答：「看到善事卻怠慢不爲，時機來臨卻遲疑不決，明知有錯卻安然處之，這三點就能使先聖之道消亡堙沒；持身柔和寧靜，待人恭敬有禮，強大而能自居弱小，隱忍而剛強，這四點，就能使先聖之道復興發展。所以，道義勝過私欲，國家就會昌盛，私欲勝過道義，國家就會衰亡；恭敬勝過怠惰，國家就祥和，怠惰勝過恭敬，國家就會滅亡。」

六守第六

原文 **文王問太公曰：「君國主民者，其所以失之者何也？」**

太公曰：「不慎所與也。人君有六守、三寶。」

文王曰：「六守者何也？」

太公曰：「一曰仁，二曰義，三曰忠，四曰信，五曰勇，六曰謀，是謂六守。」

譯文 文王問太公說：「統治國家、治理民衆的君主，其之所以失去國家和民衆的原因是什麽？」

太公回答：「這是因爲選拔任用人才不謹慎造成的。君主應該做到六守、三寶。」

文王問：「六守是什麽？」

太公說：「一是仁愛，二是正義，三是忠誠，四是信用，五是勇敢，六是智謀。這就是所謂的六守。」

原文 **文王曰：「慎擇六守者何？」**

太公曰：「富之而觀其無犯，貴之而觀其無驕，付之而觀其無轉①，使之而觀其無隱，危之而觀其無恐，事之而觀其無窮。富之而不犯者仁也，貴之而不驕者義也，付之而不轉者忠也，使之而不隱者信也，危之而不恐者勇也，事之而不窮者謀也。人君無以三寶借②人，借人則君失其威。」

注釋 ①轉：通「專」，專斷。②借：這裏指給予，授予。

譯文

文王問：「怎樣謹慎地選擇符合六守標準的人才呢？」

太公回答：「使他富裕，觀察他是否能做到不憑借財富胡作非爲；使他地位尊貴，觀察他是否能做到不驕不縱；托付他重任，觀察他是否能做到不獨斷專行；指派他完成任務，觀察他能否做到不隱瞞欺騙；讓他做危險的事，觀察他能否做到臨危不懼；要他處理突發之事，觀察他能否做到應變無窮。擁有財富而不胡作非爲，就是仁愛之人；地位尊貴而不驕不縱，就是正義之人；身負重任而不獨斷專行，就是忠誠之人；完成任務而不隱瞞欺騙，就是守信之人；面臨危險而不畏懼，就是勇敢之人；處理突發之事而能應變無窮，就是足智多謀之人。同時，君主不要把國家的三寶輕易地交給別人，如果把三寶交給別人，那麼君主就會喪失自己的權威。」

原文

文王曰：「敢問三寶？」

太公曰：「大農、大工、大商①，謂之三寶。農一其鄉②，則穀足；工一其鄉，則器足；商一其鄉，則貨足。三寶各安其處，

舉賢貢能

治理國家，安定人民的關鍵在於人才的選擇和制度的完備。周武王平殷回來後問太公：「今民未安，賢者未定，如何？」太公曰：「無故無新，如天如地。得殷之財，與殷之民共之，則商得其賈，農得其田也。一目視則不明，一耳聽則不聰，一足步則不行。選賢自代，上下各得其所。」

民乃不慮。無亂其鄉，無亂其族，臣無富於君，都無大於國③。六守長④，則君昌；三寶完，則國安。」

注釋　①大農、大工、大商：農、工、商都是關乎國計民生的大事，所以稱「大農、大工、大商」。②一其鄉：指在一處聚居許多從事相同行業的人。古代城鄉居民都受到國家的嚴格控制，並且農民的後代仍然是農民，工匠的後代仍然是工匠，商人的後代仍然是商人。③都無大於國：周時各國把國都叫國，把有宗廟或先君神主的城叫都，沒有的叫邑。④長：經常，作爲常則。

譯文　文王問：「我冒昧地再問一下，您所說的三寶是什麼？」

太公回答：「重視農業、手工業、商業，就是國家的三寶。把農民聚集在一處進行農業生產，糧食就充足；把工匠聚集在一處進行生產，器具就充足；把商人聚集在一處進行貿易，貨物就充足。讓這三種行業在各自的範圍內經營各自的事業，民衆就不會有不安現狀的想法。所以，不要讓農民、工匠、商人在同一個地方雜處，不要打亂他們聚族而居的習慣，不要讓臣下的財富超過君主，不要讓都大於國。如果能把六守作爲選拔人才的常則，那麼君主的事業就會昌盛興旺；如果能完善三寶，那麼國家就能長治久安。」

守土第七

原文　文王問太公曰：「守土奈何？」

太公曰：「無疏其親①，無怠其衆，撫其左右②，御其四旁③。無借人國柄④，借人國柄，則失其權。無掘壑而附丘⑤，無捨本而治末⑥。日中必彗⑦，操刀必割，執斧必伐。日中不彗，是謂失時；操刀不割，失利之期；執斧不伐，賊人將來。涓涓⑧不塞，將爲江河；熒熒⑨不救，炎炎奈何；兩葉⑩不去，將用斧柯⑪。是故人君必從事於富。不富無以爲仁，不施無以合親。疏其親則害，失其衆則敗。無借人利器⑫，借人利器，則爲人所害，而不終其正也。」

注釋

①親：指君主的同族近親，即宗室貴族。②左右：指君主的親近之臣。③四旁：四方。④國柄：國家大權。⑤掘壑而附丘：挖掘深谷之土加附在土山之上，比喻損害地位低微的平民的利益使身居高位的權貴獲利。⑥捨本而治末：指放棄農業而從事工商業。本，指農業。末，指工商業。⑦彗：曝曬。⑧涓涓：細小的水流。⑨熒熒：小火。⑩兩葉：樹木種子萌芽時每生兩葉，這裏用兩葉代指剛出土的樹苗。⑪斧柯：斧柄，這裏代指斧子。⑫利器：鋭利的兵器，這裏指國家權力。

譯文

文王問太公說：「應該如何守衛國土呢？」

太公回答：「不要疏遠宗室貴族，不要怠慢廣大民衆，安撫身邊的近臣，控制四方天下。不要將國家的權柄交給他人，將國家的權柄交給他人，國君就會喪失權威。不要像用深谷的土來增加山丘的高度那樣，損害地位低微的平民的利益來使權貴獲利，不要輕視農業而重視工商業。在太陽當頭的正午，就一定要抓緊時機曝曬東西；手執利刀，就一定要抓緊時機收割；手執斧鉞，就一定要抓緊時機征伐。正午時不曝曬東西，這就叫錯過合適的時辰；手執利刀卻不收割，這就叫失去有利的時機；手執斧鉞而不殺敵，敵人就會乘虛而入。細小的水流不加堵塞，就會發展成爲大江大河；星星之火不去撲滅，炎炎烈火燃燒起來將無可奈何；剛萌生的嫩芽不除去，將來就得動用斧子去砍伐。所以君主一定要努力使國家變得富強。國家不富強就難以施行仁義，不施行仁義就難以團結宗室貴族。疏遠宗室貴族就會受到損害，失去廣大民衆就會導致失敗。不要把國家的權柄交給別人，把國家的權柄交給別人，就會被人傷害而得不到善終。」

原文

文王曰：「何謂仁義？」

太公曰：「敬其衆，合其親。敬其衆則和，合其親則喜，是謂仁義之紀。無使人奪汝威。因其明，順其常。順者任之以德，逆者絶之以力。敬之無疑，天下和服①。」

注釋　①和服：和諧順從。

譯文　文王問：「什麼是仁義？」

太公回答：「敬重自己的民衆，團結自己的宗親。敬重民衆就會上下和睦，團結宗親那麼大家都歡喜，這就是施行仁義的重要準則。不要讓人奪走你的權威。依靠自己明察是非，遵照事物的常理行事。對於歸順自己的人，就用德行去感化；對於反抗自己的人，就用武力去滅絕。如果能遵循上述原則，並且毫不猶豫地去執行，那麼天下就會順從和諧了。」

守國第八

原文　**文王問太公曰：「守國奈何？」**

太公曰：「齋。將語君天地之經①，四時所生，仁聖之道，民機②之情。」

注釋　①經：常道。指常行的義理、準則、法制。②機：指智巧詐僞的機變之心。

譯文　文王問太公說：「怎樣才能保守住國家的政權呢？」

太公回答：「請您先齋戒。然後我將告訴您有關天地運行的常道，四季萬物生長的規律，仁君聖賢治國的準則，以及人民機心變化的情由。」

原文　**王即齋七日，北面①再拜而問之。**

太公曰：「天生四時，地生萬物。天下有民，仁聖牧②之。故春道生，萬物榮；夏道長，萬物成；秋道斂③，萬物盈；冬道藏，萬物尋。盈則藏，藏則復起，莫知所終，莫知所始。聖人配之，以爲天地經紀④。故天下治，仁聖藏；天下亂，仁聖昌。至道其然也。聖人之在天地間也，其寶固大矣。因其常而視之則民安。夫民動而爲機，機動而得失爭矣。故發之以其陰⑤，會之以其陽⑥，爲之先唱⑦，天下和之。極反其常，莫進而爭，莫退而讓。守國如此，與天地同光。」

注釋　①北面：行弟子敬師之禮。②牧：管理，統治。③斂：

收斂。這裏指生長完畢，收斂生機。④經紀：綱常，法度。⑤陰：這裏指隱秘的手段。⑥陽：這裏指公開的手段。⑦唱：通「倡」，倡導。

【譯文】文王因此齋戒七天，行弟子敬師之禮向太公拜了兩次，再度詢問守國的道理。

太公說：「天體運行，產生了四季交替，大地孕育孳生萬物。天下有衆多民衆，需要仁君聖人統治、管理他們。依照規律，春天萬物開始生長，所以萬物榮；夏天萬物茁壯成長，所以萬物繁榮茂盛；秋天萬物完成生長，所以萬物飽滿成熟；冬天萬物潛伏生機，所以萬物潛藏不動。萬物成熟後就應當潛伏起來，潛伏之後又會重新萌芽，周而復始，循環往復，沒有終結，沒有起始。聖人配合這一自然規律，效法天地，制定治理國家的綱常法度。因此，如果天下安定，仁君聖人就應該潛藏起來；如果天下混亂，仁君聖人就應該應運而起，撥亂反正，建立功業。這是天地之間的根本規律決定的。聖人處於天地之間，

他的地位和作用的確十分重大。他遵循常理來治理天下，那麼民衆就能保持安定。民心浮動，就產生變亂的契機；一旦出現這種契機，就必然出現得失之爭。這時聖人應該隱秘地發動操縱，等待時機，然後公開地進行征討，首先提倡，天下人就都會響應。當變亂平息，一切恢復正常，不要進一步與民衆爭功，不要退一步遜讓治國的權力。能像這樣保守住國家政權，就能與天地同光。」

上賢第九

【原文】**文王問太公曰：「王人者，何上，何下；何取，何去；何禁，何止？」**

太公曰：「王人者，上賢，下不肖；取誠信，去詐僞；禁暴亂，止奢侈。故王人者，有六賊①七害。」

【注釋】①賊：傷害，敗壞。

【譯文】文王問太公說：「做君主的，應該尊崇什麼樣的人，應該壓制什麼樣的人；應該任用什麼樣的人，應該除去什麼樣的人；應該嚴

禁什麼樣的行爲，應該遏止什麼樣的舉動？」

太公回答：「做君主的，應該尊崇德才兼備的賢人，應該壓制無德無才的人；應該任用忠誠不欺的人，應該除去奸詐虛僞的人；應該嚴禁暴亂的行爲，應該遏止奢侈的舉動。對君主來說，應該警惕六賊七害。」

原文 **文王曰：「願聞其道。」**

太公曰：「夫六賊者：一曰，臣有大作宮室池榭，遊觀倡樂①者，傷王之德。二曰，民有不事農桑，任氣遊俠②，犯歷③法禁，不從吏教者，傷王之化。三曰，臣有結朋黨，蔽賢智，鄣④主明者，傷王之權。四曰，士有抗志⑤高節，以爲氣勢，外交諸侯，不重其主者，傷王之威。五曰，臣有輕爵位，賤有司⑥，羞爲上犯難⑦者，傷功臣之勞。六曰，強宗侵奪，陵侮⑧貧弱者，傷庶人⑨之業。

注釋 ①倡樂：倡優的歌舞雜戲表演。倡，指唱戲的人。②遊俠：遊於四方，憑借權威、勇力或財力等手段扶助弱小，幫助他人。③犯歷：違反。④鄣：通「障」，遮蔽。⑤抗志：高尚其志。⑥有司：官吏。古代設官分職，各有專司，故稱。⑦犯難：冒險。⑧陵侮：淩辱，欺壓。⑨庶人：衆人，平民百姓。

譯文 文王說：「我想聽聽這些道理。」

太公說：「六賊就是：第一，大臣中有大肆營建宮室池榭，以供觀賞倡優表演的，就會敗壞君主的德行。第二，民衆有不從事農耕和養蠶，縱意氣，喜歡打抱不平，違反法律禁令，不服從官吏管教的，就會損害君主的教化。第三，大臣中有結黨營私，排擠賢人智士，蒙蔽君主視聽的，就會損害君主的權勢。第四，士人中有自認爲具有高尚的志氣和節操，抬高身價，製造聲勢，在外結交諸侯，不尊重自己的君主的，就會損害君主的威嚴。第五，大臣中有輕視爵位，藐視官吏，以替君主冒險犯難爲恥的，就會挫傷功臣的積極性。第六，強大的宗族中有掠奪、淩辱貧弱的，就會損害平民百姓的生計。

原文 **「七害者：一曰，無智略權謀，而以重賞尊爵之故，強勇輕戰，僥幸於外，王者愼勿使爲將。二曰，有名無實，出入異言，掩善揚惡，進退爲巧，王者愼勿與謀。三曰，樸其身躬①，惡其衣服，語無爲以求名，言無欲以求利，此僞人②也，王者愼勿近。四曰，奇其冠帶，偉其衣服，博聞辯辭，虛論高議，以爲容美③，窮居靜處，而誹時俗，此奸人也，王者愼勿寵。五曰，讒佞苟得④，以求官爵，果敢輕死，以貪祿秩⑤，不圖大事，得利而動，以高談虛論，說⑥於人主，王者愼勿使。六曰，爲雕文刻鏤⑦，技巧華飾，而傷農事，王者必禁之。七曰，僞方⑧異技，巫蠱⑨左道，不祥之言⑩，幻惑良民，王者必止之。**

注釋 ①身躬：身體。②僞人：僞善，詐僞之人。③容美：謂位尊者的接納和稱讚。④苟得：苟且貪求，不當得而得。⑤禄秩：俸禄。⑥說：通「悦」，討好。⑦雕文刻鏤：謂在器物上刻鏤花紋或圖案，作爲文飾。⑧僞方：騙人的方術。⑨巫蠱：古代稱巫師使用邪術加害於人爲巫蠱。⑩不祥之言：惑亂人心的妖言。

譯文 「所謂七害：第一，沒有智謀權略，但爲了獲取豐厚的獎賞和尊貴的爵位，而強橫持勇，輕率赴戰，企圖僥幸在外立功，對於這種人，君主一定不要讓他擔任將領。第二，徒有虛名而並無眞才實學，言行不一，掩蓋別人的善行，宣揚別人的惡行，到處專營取巧，對於這種人，君主一定不要同他圖謀大事。第三，對自身不加裝飾，穿粗劣的衣服，高談淸靜無爲而一心求名，闊論克制私欲而一心求利，這是詐僞之人，對於這種人，君主一定不要同他親近。第四，冠帶奇特，衣服奇異，見聞廣博，善於辯論，高談不切實際的言論，以此博取尊者的接納和稱讚，身居偏僻簡陋之所，卻誹謗時事風俗，這是奸邪之人，對於這種人，君主一定不要寵信他。第五，進讒言諂媚，不擇手

夫王者之道如龍首龍陽物也故以比王者之道龍首居高而遠望視深而聽審示其形使人知所畏隱其情使人不可測又若天之高遠而不可窮極也又若淵之深淺而不可度量也

段，以此謀取官職和爵位；魯莽急躁，輕率赴死，以此求得俸祿；不顧大局，衹要對自己有利就輕舉妄動，憑借不切實際的高談闊論取悅君主，對於這種人，君主一定不要予以任用。第六，致力於用高超的技藝在器物上鏤刻花紋用以裝飾，導致農業生產受到損害。對於這種行爲，君主一定要加以禁止。第七，用騙人的方術、奇特的技藝、巫蠱、旁門左道，以及惑亂人心的妖言，來迷惑、欺騙善良的民衆，對於這些行爲，君主必須嚴格制止。

原文 **「故民不盡力，非吾民也；士不誠信，非吾士也；臣不忠諫，非吾臣也；吏不平潔①愛人，非吾吏也；相不能富國強兵，調和陰陽②，以安萬乘之主，正群臣，定名實，明賞罰，樂萬民，非吾相也。**

注釋 ①平潔：公平廉潔。②調和陰陽：謂使陰陽有序，風調雨順。舊多指宰相處理政務。

譯文 「所以民衆不盡力從事生產，就不是君主的好民衆；士人不忠誠守信，就不是君主的好士人；臣子不盡忠直諫，就不是君主的好臣子；官吏不公平廉潔愛護百姓，就不是君主的好官吏；宰相不能富國強兵，使陰陽有序，風調雨順，穩固君主的地位，匡正群臣的言行，核定名實，嚴明賞罰，使廣大民衆安居樂業，就不是君主的好宰相。」

原文 **「夫王者之道如龍首，高居而遠望，深視而審聽①。示其形，隱其情，若天之高不可極也，若淵之深不可測也。故可怒而不怒，奸臣乃作；可殺而不殺，大賊乃發。兵勢不行，敵國乃強。」**

文王曰：「善哉！」

注釋 ①審聽：仔細地聽。

譯文 「所以君主的統治之道，如同隱而不現龍頭，居於極高之處，遠眺世間萬物，深刻地觀察，仔細地聽取。雖然顯露出自己的形體，卻將內心的真情隱藏起來，就像蒼天一樣高不可及，又像深淵一樣不可測量。所以，君主如果當怒而不怒，奸臣就會興風作浪；當殺而不殺，大奸大惡就會乘機作亂。軍隊的威勢不能行於遠方，敵國就會強盛起來。」

文王說：「您講得眞好啊！」

舉賢第十

原文 **文王問太公曰：「君務舉賢而不獲其功，世亂愈甚，以致危亡者，何也？」**

太公曰：「舉賢而不能用，是有舉賢之名，而無用賢之實也。」

文王曰：「其失安在？」

太公曰：「其失在君好用世俗之所譽，而不得眞賢也。」

譯文 文王問太公說：「君主致力於選賢任能，但卻不能獲得實效，世道混亂愈演愈烈，最終導致國家滅亡，這是什麼緣故呢？」

太公回答：「選拔賢能卻不任用他們，結果空有選拔賢能的虛名，而不能收到任用賢能的實效。」

文王又問：「是什麼原因導致了這種失誤呢？」

太公回答：「導致這種失誤的原因在於君主喜歡任用世俗所稱讚的人，而沒有眞正得到賢能的人。」

原文 **文王曰：「何如？」**

太公曰：「君以世俗之所譽者爲賢，以世俗之所毀①者爲不肖，則多黨②者進，少黨者退。若是，則群邪比周③而蔽賢，忠臣死於無罪，奸臣以虛譽取爵位，是以世亂愈甚，則國不免於危亡。」

注釋 ①毀：誹謗。②黨：意見相合的人或由私人利害關係結成的團體。③比周：結黨營私。

譯文 文王問：「爲什麼這麼說？」

太公回答：「如果君主把世俗所稱讚的人當作賢能的人，把世俗所誹謗的人當作不賢能的人，那麼朋黨多的人就得到進用，朋黨少的人就遭到排斥。這樣一來，那麼奸邪不正之徒就會結黨營私，賢能之人被阻擋在外，忠臣無罪而被置於死地，奸臣憑借虛假的名譽取得爵位，因而導致世道混亂愈演愈烈，而國家不能免於陷入危亡。」

原文 **文王曰：「舉賢奈何？」**

太公曰：「將相分職，而各以官名舉人①，按名督②實。選才考能，令實當其名，名當其實，則得舉賢之道也。」

注釋 ①以官名舉人：根據官名的意思去選用合適的人才擔任這一官職。②督：考察，考核。

譯文 文王問：「應該怎樣選用賢能之人呢？」

太公回答：「要做到將相分工，並根據官職的名稱分別舉用人才，要根據官名所表示的意義考核一個人是否具備擔任這一職務的才能。遴選各種人才，考察他們的實際能力，使其德才與其所擔任的官職相當，官位與其德才相當，這樣做就算是掌握了選用賢能的要領。」

賞罰第十一

原文 **文王問太公曰：「賞所以存勸①，罰所以示懲，吾欲賞一以勸百，罰一以懲眾，爲之奈何？」**

太公曰：「凡用賞者貴信，用罰者貴必。賞信罰必，於耳目之所聞見，則所不聞見者莫不陰化②矣。夫誠，暢於天地，通於神明，而況於人乎？」

注釋 ①勸：勉勵，獎勵。②陰化：暗中感化。

譯文 文王問太公說：「獎賞是用來勉勵人的，懲罰是用來警誡人的，我想要通過獎賞一個人來勉勵一百個人，懲罰一個人來警誡眾人，應該怎麼辦？」

太公回答：「通常施行獎賞貴在守信，施行懲罰貴在必行。獎賞守信，懲罰必行，是人們能夠耳聽目見的，即使不能耳聽目見，也能因此被暗中感化。這種誠信，暢行於天地，上通神明，更何況是對人呢？」

兵道第十二

原文 **武王問太公曰：「兵道如何？」**

太公曰：「凡兵之道莫過乎一①。一者能獨往獨來②。黃帝

曰：『一者階③於道，幾④於神。』用之在於機，顯之在於勢，成之在於君。故聖王號兵爲凶器⑤，不得已而用之。今商王⑥知存而不知亡，知樂而不知殃。夫存者非存，在於慮亡；樂者非樂，在於慮殃。今王已慮其源⑦，豈憂其流⑧乎！」

注釋 ①一：專一，精一。②獨往獨來：這裏指在掌握事物規律的前提下自由行動，不受約束。③階：階梯，這裏用作動詞，即逐步通向。④幾：接近。⑤凶器：這裏指不祥之物。⑥商王：指商王朝最後一個王帝辛。帝辛，名受，也作紂。周武王伐商，帝辛兵敗自焚。⑦源：本源。這裏指用兵的根本原則。⑧流：支流。這裏指用兵的各種細則。

譯文 武王問太公說：「用兵的原則有哪些？」

太公回答：「一般用兵的原則，最重要的是精純專一。做到了精純專一，就能不受約束，自由行動，無往不利。黃帝說：『精純專一，是通往達到掌握萬物根本規律這一境界的階梯，接近於出神入

化。』運用這一原則的關鍵在於把握時機，顯示這一原則在於利用態勢，成功的樞機在於君主的作爲。所以古代的聖王把戰爭視爲不祥之物，祇有在不得已的情況下才使用它。現在商王祇知道自己的統治還存在，不知道自己的統治已經瀕臨滅亡；祇知道縱情享樂，不知道大禍就要臨頭。一個國家現在還存在並不意味着能長久存在，想要長久存在，就要時刻考慮到亡國的危險；眼下安樂並不意味着能長久安樂，想要長久安樂，就要時刻考慮到災禍的逼近。現在大王已經考慮到安危存亡這一根本問題，哪裏還用憂慮其他枝節問題啊！」

原文 武王曰：「兩軍相遇，彼不可來，此不可往，各設固備①，未敢先發，我欲襲之，不得其利，爲之奈何？」

太公曰：「外亂而內整，示飢而實飽，內精而外鈍②。一合一離，一聚一散，陰其謀，密其機，高其壘，伏其鋭士，寂若無聲，敵不知我所備。欲其西，襲其東。」

注釋　①固備：堅固的防禦。②鈍：與「鋭」相對。這裏指各種缺乏戰鬥力的跡象。

譯文　武王問：「兩軍相遇，敵人不能來攻打我軍，我軍也不能去攻打敵人，各自設置堅固的防禦，誰都不敢率先發動進攻，我軍想要襲擊敵人，但又不具備有利條件，應該怎麼辦呢？」

太公回答：「這就需要在表面上裝出混亂的樣子，而內部實際上嚴整；表面上裝出缺乏糧食的樣子，而實際上給養充足；實際上有強大的戰鬥力，而表面上裝出戰鬥力軟弱的樣子。使軍隊忽合忽離，忽聚忽散，暗中施行計謀，隱藏機密，加高鞏固自己的壁壘，埋伏好自己的精鋭戰士，軍營裏寂靜無聲，敵人無法得知我軍所作的戰前部署。想要從西邊攻擊敵人，則要從東邊佯裝進攻。」

原文　武王曰：「敵知我情，通①我謀，爲之奈何？」

太公曰：「兵勝之術，密察②敵人之機而速乘其利，復疾擊③其不意。」

注釋　①通：通曉。②密察：細致明察。③疾擊：猛烈地衝擊、攻擊。

譯文　武王問：「如果敵人瞭解我軍的實情，通曉我軍的計謀，應該怎麼辦呢？」

太公回答：「在這種情況下，取得戰鬥勝利的方法，在於細致地查明敵人的行動機密，迅速把握住有利戰機，然後出其不意地猛烈攻擊敵人。」

武韜

發启第十三

原文　文王在酆①召太公曰：「嗚呼！商王虐極，罪殺不辜②。公尚助予憂民，如何？」

太公曰：「王其修德以下賢③，惠民以觀天道④。天道無殃⑤，不可先倡；人道⑥無災，不可先謀。必見天殃，又見人災，乃可以謀。**必見其陽，又見其陰，乃知其心；必見其外，又見其內，乃知其意；必見其疏，又見其親，乃知其情。**

注釋　①酆：古地名。周文王滅崇侯虎後曾在這裏建都。後爲周武王之弟的封國。故地在今陝西戶縣北。②不幸：無罪之人。辜，罪。③下賢：屈己以尊賢。④天道：指天象的變化。古人認爲天象的變化與人事相關。⑤殃：指各種災害以及日食等古人認爲不吉祥的自然現象。⑥人道：這裏指人事。

譯文　文王在酆邑召見太公，對他說：「唉！商紂王暴虐到了極點，任意殺害無罪之人。公尙您來幫助我拯救天下的百姓，怎麼樣？」

太公回答：「大王應該加強德行的修養，禮賢下士，要施惠於民，並觀察天象的變化。如果天象沒有預兆要降下災禍，不可首先倡導征討；如果人事沒有發生災難，不可以首先謀劃興師。一定要等到出現了災禍的天象，又發生了人禍，才可以謀劃興師討伐。一定要看到商紂王公開言行，又瞭解他在暗中的行動，纔能知道他內心的想法；一

定要見到他的外在表現，又得知他內心的想法，纔能瞭解他的本來意圖；一定要看到他在疏遠什麼人，又看到他在親近什麼人，纔能得知他的眞情實感。

原文　**「行其道，道可致也；從其門，門可入也；立其禮，禮可成也；爭其強，強可勝也。全勝不鬥，大兵①無創，與鬼神通。微哉！微哉！與人同病相救，同情相成，同惡相助，同好相趨。故無甲兵而勝，無衝機②而攻，無溝塹而守。**

注釋　①大兵：人數多，聲勢大的軍隊。②衝機：古戰具。衝車和雲梯。機，械，雲梯之屬。

譯文　「決心施行能夠成就王業的正道，就能實現正道；遵循正確的途徑前進，就能實現目的；確立適應社會發展的禮樂制度，這種禮樂制度就一定能取得成功；爭取確立強大的地位，再強大的敵人也能戰勝。以智謀獲取全面的勝利而不需要戰鬥，以聲勢浩大的軍隊先聲奪人而能完好無損地使敵人屈服，做到這一點，可謂用兵如

神。眞是微妙啊！眞是微妙啊！能與人同疾苦而能互相救助，同情感而能互相成全，同憎惡而能互相幫助，同喜好而有共同的追求。所以即使沒有軍隊也能取勝，沒有衝車和雲梯也能進攻，沒有溝壑也能防守。

原文 **「大智不智，大謀不謀，大勇不勇，大利不利。利天下者，天下啓①之；害天下者，天下閉②之。天下者非一人之天下，乃天下之天下也。取天下者，若逐野獸，而天下皆有分肉之心；若同舟而濟，濟則皆同其利，敗則皆同其害。然則皆有啓之，無有閉之也。**

注釋 ①啓：開啓。這裏指歡迎。②閉：閉塞。這裏指拒絕、對抗。

譯文 「眞正的智慧，是看不出智慧；眞正的謀略，是看不出謀略；眞正的勇敢，是看不出勇敢；眞正的利益，是看不出利益。爲天下人謀求利益的人，天下人都歡迎他；使天下人受損害的人，天下人都抗拒他。天下不是某一個人私有的天下，而是天下人共同擁有的天下。奪取天下，就像追逐野獸一樣，天下人都有分肉而食的心理；就像同坐一艘船渡河一樣，渡河成功就共同受益，渡河失敗就共同受損。這樣做，天下人就都歡迎他，而不會反抗他。

原文 **「無取於民者，取民者也；無取於國者，取國者也；無取於天下者，取天下者也。無取民者，民利之；無取國者，國利之；無取天下者，天下利之。故道在不可見，事在不可聞，勝在不可知。微哉！微哉！鷙鳥①將擊，卑飛斂翼②；猛獸將搏，弭耳③俯伏；聖人將動，必有愚色。**

注釋 ①鷙鳥：凶猛的鳥。②斂翼：收攏翅膀。比喻隱退。③弭耳：猶帖耳。形容動物搏殺前斂抑的樣子。亦指馴服的樣子。

譯文 「表面上不向民衆索取，實際上卻從民衆那裏獲得利益；表面上不向別國索取，實際上卻是從別國那裏獲得利益；表面上不向天下索取，實際上卻是從天下取得利益。不掠奪民衆利益的，民衆就給予他利益，不掠奪別國利益的，別國就給予他利益；不掠奪天下利益的，天下就給予他利益。所以這種方法的微妙之處在於使人看不見，辦事情的微妙之處在於使別人聽不到，勝利的微妙之處在於使人不可知。眞是微妙啊！眞是微妙啊！凶猛的鳥在攻擊之前，一定採取低飛收翼的姿勢；凶猛的野獸在搏擊之前，一定採取帖耳伏地的姿勢；聖人在採取行動之前，一定表現得非常愚笨。

原文 **「今彼殷商，衆口相惑，紛紛渺渺①，好色無極，此亡國之徵也。吾觀其野，草菅②勝穀；吾觀其衆，邪曲勝直；吾觀其吏，暴虐殘賊，敗法亂刑。上下不覺，此亡國之時也。**

注釋 ①紛紛渺渺：雜亂紛擾、沒有終止的樣子。②菅：一種野草。

譯文 「現在那個商朝，民衆互相欺騙，社會雜亂紛擾，商王好色荒淫沒有止境，這是亡國的徵兆。我觀察那裏的田地，野草蓋過了莊稼；我觀察那裏的民衆，奸邪的超過了正直的；我觀察那裏的官吏，暴虐殘酷，違法亂紀。這些危機君臣上下都沒有發覺，這正是國家該滅亡的時候。

原文 **「大明①發而萬物皆照，大義發而萬物皆利，大兵發而萬物皆服。大哉聖人之德！獨聞獨見，樂哉！」**

注釋 ①大明：指太陽。

譯文 「太陽一出來，天下萬物都被照耀；正義的事情一進行，天下萬物都蒙受利益；正義的軍隊一發動，天下萬物都會歸附。偉大啊，聖人的德化！他獨到的見解，無人能及，這眞是最偉大的快樂！」

文啓第十四

原文 **文王問太公曰：「聖人何守①？」**

太公曰：「何憂何嗇②，萬物皆得；何嗇何憂，萬物皆遒③。政之所施，莫知其化；時之所在，莫知其移。聖人守此而萬物化！何窮之有，終而復始！優之遊之④，展轉⑤求之；求而得之，不可不藏；既以⑥藏之，不可不行；既以行之，勿復明⑦之。

夫天地不自明，故能長生⑧；聖人不自明，故能名彰。

注釋　①守：這裏指治理天下所必須遵守的原則。②嗇：愛惜。③遒：美好。④優之遊之：從容不迫、悠閑的樣子。⑤展轉：翻身貌。多形容卧不安席。這裏指反復思考探索。⑥以：通「已」。⑦明：宣揚。⑧長生：生長，即生長萬物。

譯文　文王問太公說：「聖人治理國家應該遵守什麼原則？」

太公說：「不必憂慮什麼，不必吝惜什麼，萬物就能各得其所；不去吝惜什麼，不去憂慮什麼，萬物就會繁榮美好。政令的施行，要讓百姓在不知不覺中受到教化，就好像時間的存在一樣，令人們感覺不到它的推移。聖人堅守這一原則行事，天下萬物就會被潛移默化！循環往復，終而復始，哪裏還有窮盡啊！這種從容不迫、悠然自得的無爲政治，聖人必須反復思索探求；如果探求到了，那就不能不秘藏於心；既然已經秘藏於心，就不能不在施政中加以推行；既然在施政中加以推行，就沒有必要再將它宣揚出去。天地不自我宣揚，所以能使萬物生長；聖人不自我宣揚，所以能夠建功立業，流芳百世。」

原文　**「古之聖人聚人而爲家，聚家而爲國，聚國而爲天下，分封賢人以爲萬國，命之曰『大紀①』。陳其政教②，順其民俗，群曲化直③，變於形容④，萬國不通，各樂其所，人愛其上⑤，命之曰『大定』。嗚呼！聖人務靜之，賢人務正之。愚人不能正，故與人爭。上勞⑥則刑繁，刑繁則民憂，民憂則流亡。上下不安其生，累世不休，命之曰『大失』。**

注釋　①大紀：綱紀。②政教：政治和教化。③直：正直。④形容：指神色舉動。⑤上：指君上、長上。⑥勞：指煩苛多事。

譯文　「古代的聖人把人們聚集在一起，讓他們組成家庭，把家庭聚集在一起組成國家，把國家聚集在一起組成天下，分封賢能之人爲諸侯，建立萬國，這一切可以命名爲治理天下的『綱紀』。宣揚政治和教化，順應民衆的風俗習慣，使邪僻的人變得正直，神色和舉動都有

文王曰聖人務之道奈何太公對曰天有恒常之形體民有恒常之生意天之常形謂春而生夏而長秋而成冬而藏也民之常生謂春而耕夏而耘秋而斂冬而息也能與天下共其生生之理而天下自矣

所改變，各國的風俗習慣雖然不同，但人民都能安居樂業，人們敬愛他們的君主，這種情況可以命名爲『大定』。啊！聖人致力於清靜無爲，賢能之人致力於端正身心。愚昧的君主不懂得端正身心，所以會同民衆相爭。君主煩苛多事，那麼刑罰就繁多；刑罰繁多，那麼民衆就會憂慮，民衆憂慮，就會流離逃亡。上下都惶惶不安，以致長期動亂不止，這種情況可以命名爲『大失』。

原文

「天下之人如流水，障之則止，啓之則行，靜之則清。嗚呼！神哉！聖人見其所始，則知其所終。」

文王曰：「靜之奈何？」

太公曰：「天有常形①，民有常生②，與天下共其生而天下靜矣。太上③因之，其次化之。夫民化而從政，是以天無爲而成事，民無與而自富，此聖人之德也。」

文王曰：「公言乃協④予懷，夙夜念之不忘，以用爲常。」

注釋

①天有常形：指天顯示出的固定的運行規律，如春夏秋冬交替變化，萬物也隨之春生、夏長、秋斂、冬藏等。②民有常生：指人民順應天時，有規律地從事生產，如春耕、夏耘、秋收、冬息等。③太上：最上，最高。④協：符合。

譯文

「天下民心的向背就像流水一樣，阻塞它就停止，引導它就流動，使它靜止就清澈。啊！多麼神奇啊！祇有聖人才能看到它的開始，進而推斷出它的結果。」

文王問：「如何使天下清靜呢？」

太公回答：「上天有固定的運行規律，人民也有固定的生活原則，君主如果能與天下的民衆共同安居樂業，那麼天下自當清靜。最好的政治是順應萬物的本性進行治理，次一點的政治是通過教化來感化民衆。民衆一旦被感化就會服從政令，所以說天道無爲而治而能使萬物生長，民衆不用給予他們什麼就能夠富足，這就是聖人的德治。」

文王說：「您的話十分符合我的心意，我日夜思考，念念不忘，把它作爲治理天下的準則。」

文伐第十五

原文　**文王問太公曰：「文伐①之法奈何？」**

太公曰：「凡文伐有十二節：

注釋　①文伐：用文事開展進攻，也就是用非軍事手段削弱敵人，對敵人進行無形的打擊。

譯文　文王問太公說：「採用非軍事手段打擊敵人，應該怎麼做呢？」

太公回答：「採用非軍事手段打擊敵人大致有十二種方法：

原文　**「一曰，因其所喜，以順其志①，彼將生驕，必有奸事，苟能因之，必能去之。**

注釋　①志：這裏指欲望。

譯文　「第一，根據敵國君主的喜好，來順應滿足他的欲望，那麼他就會滋生驕傲情緒，肯定會做邪惡的事情，如果能巧妙地利用這一點，一定能夠除掉他。

原文　**「二曰，親其所愛，以分其威。一人兩心，其中①必衰。廷無忠臣，社稷必危。**

注釋　①中：這裏指忠誠的內心世界。

譯文　「第二，親近拉攏敵國君主喜愛的人，從而分化削弱敵國君主的威力。敵國君主喜愛的人懷有二心，那麼他對君主的忠誠度一定降低。朝廷沒有忠臣，國家必定面臨危亡。

原文　**「三曰，陰賂左右①，得情甚深，身內情外，國將生害。**

注釋　①左右：近臣，隨從。

譯文　「第三，暗中賄賂敵國君主的近臣，同他們建立深厚的交情，使他們身在敵國內而心向國外，那麼敵國就將發生禍害。

原文　**「四曰，輔其淫樂①，以廣其志，厚賂珠玉，娛以美人。卑辭委聽②，順命而合。彼將不爭，奸節③乃定。**

注釋　①淫樂：過度享樂。②委聽：曲意聽從。③奸節：指邪惡的行爲。

譯文　「第四，誘使敵國君主過放縱享樂的生活，來助長他追求享樂的欲望，用大量珠玉財寶賄賂他，贈送美女討他歡心。與他交往時說話謙恭，曲意聽命，順從他的命令，迎合他的心意。這樣一來，他將不會同我相爭，並且一定會放縱自己邪惡的行爲。

原文 **「五日，嚴其忠臣，而薄其賂。稽留①其使，勿聽其事。亟爲置代②。遺③以誠事，親而信之。其君將復合④之。苟能嚴之，國乃可謀。**

注釋 ①稽留：延遲，使之停留。②置代：派人代替。③遺：贈送，這裏是告訴的意思。④合：約合，連和。

譯文 「第五，尊敬敵國的忠臣，但是祇給他菲薄的禮物。當他出使我國時，要故意加以拖延，不要答復他的問題。儘快促成敵國君主更換使者。將一些眞實情況告訴給新來的使者，向敵國表示親近，取得它的信任。這樣一來，敵國君主就會再次同我國談判約合。如果能這樣故意尊敬敵國的忠臣，敵國的君主就會疏遠他，我們就能巧妙地謀取敵國了。

原文 **「六日，收其內①，間其外②，才臣外相③，敵國內侵，國鮮④不亡。**

注釋 ①內：指朝廷中大臣。②外：指在外領兵的將領和地方長官。③相：輔助，幫助。④鮮：少。

譯文 「第六，收買敵國朝廷內的大臣，離間敵國朝廷外的大臣，使敵國有才幹的大臣幫助外國，而敵國內部互相傾軋，這樣的國家很少有不滅亡的。

原文 **「七日，欲錮①其心，必厚賂之；收其左右忠愛，陰示以利，令之輕業，而蓄積空虛。**

注釋 ①錮：禁錮，這裏指牢固地控制。

譯文 「第七，要想牢固地控制敵國君主的思想，使他對我國深信不疑，就一定要贈送給他豐厚的禮物；同時收買他的忠君愛國的親信大臣，暗中許給他們各種好處，使敵國君主輕視生產，促使敵國物資缺乏，糧倉空虛。

原文 「八日，賂以重寶①，因與之謀；謀而利之，利之必信，是謂重親②。重親之積，必爲我用。有國而外，其地大敗。

注釋 ①重寶：泛指貴重的寶物。②重親：兵書上指多次重金收買對方人員，引爲己用。

譯文 「第八，用貴重的寶物賄賂敵國君主，然後趁機與他共同圖謀第三國；使這一圖謀對他有利，他獲利之後一定會信任我們，這就叫用重金收買從而結成親密關係。這種親密關係進一步發展，其結果必定能爲我所用。作爲擁有一個國家的君主卻被外國利用，他的國家一定會以慘敗終結。

原文 「九日，尊之以名，無難其身；示以大勢，從之必信，致其大尊；先爲之榮，微飾①聖人，國乃大偷②。

注釋 ①微飾：巧妙地加以裝飾。②偷：怠惰。

譯文 「第九，用煊赫的稱號尊奉敵國君主，不讓他經歷危難；讓他覺得自己擁有很大的威勢，順從他的意志，以取得他的信任，使他獲得至高無上的尊榮；事先對他大加恭維稱頌，巧妙地將他比作聖人，這樣一來，他必定妄自尊大，進而懈怠國事。

原文 「十日，下①之必信，以得其情；承意應事，如與同生②；既以③得之，乃微收④之；時及將至，若天喪之。

注釋 ①下：把自己放在卑下的地位。②同生：同胞兄弟。③以：通「已」。④收：控制，操縱。

譯文 「第十，對敵國君主表現得謙卑屈從，就一定能夠取得他的信任，從而獲取他的真實情況；秉承他的意志，順應他的要求，就像同胞兄弟一樣親密；既然已經取得了他的信任，就可以微妙地加以控制操縱；等待時機成熟後，就能輕易地消滅他，如同有上天相助。

原文 「十一日，塞①之以道。人臣無不重貴與富，惡危與咎②。陰示大尊③，而微輸重寶，收其豪傑。內積甚厚，而外爲乏。陰納智士，使圖其計；納勇士，使高其氣。富貴甚足，而常有繁滋④。徒黨已具，是謂塞之。有國而塞，安能有國？

注釋 ①塞：這裏指阻塞敵國君主的視聽。②咎：災禍。③大尊：高官貴爵。④繁滋：發展增多。

譯文 「第十一，用各種方法閉塞敵國君主的視聽。大凡臣民沒有不追求地位和財富，厭惡危險和災禍的。所以暗中許諾給他們高官貴爵，並秘密贈送給他們珍貴的寶物，來收買敵國的英雄豪傑。國內實際上蓄積了很多財富，而表面上要假裝貧乏。暗中招納敵國有智謀的人，讓他們與自己共同圖謀大計；招納敵國的勇士，利用他們提高我方的士氣。讓這些人享有足夠的富貴，這樣就能經常有人加入進來。在國外有替我們效力的黨徒，這樣就能閉塞敵國君主的視聽。敵國的君主雖然還統治着國家，但是卻被閉塞了視聽，怎麼還能保住自己的國家呢？」

原文 **「十二曰，養其亂臣以迷之，進美女淫聲①以惑之，遺良犬馬以勞之，時與大勢以誘之，上察②而與天下圖之。」**

注釋 ①淫聲：靡靡之音。這裏指演奏這類音樂的樂工。②上察：指上察天道，即觀察有利的時機。

譯文 「第十二，培養扶植敵國朝廷中的作亂之臣，以迷惑敵國君主的心志；進獻美女和樂工，用來禍亂他的意志；贈送獵犬和駿馬，用來使他的身體疲勞困頓；經常用有利的形勢奉承他，誘騙他妄自尊大，然後觀察有利的時機，與天下人共同圖謀他的國家。」

原文 **「十二節備，乃成武事。所謂上察天，下察地，徵已見①，乃伐之。」**

注釋 ①見：通「現」，顯現。

譯文 「正確運用這十二種非軍事手段之後，就可以進一步採取軍事行動了。這就是所謂的上察天時，下觀地利，等到對我們有利的徵兆顯露出來以後，就出兵征討敵國。」

順啓第十六

原文 **文王問太公曰：「何如而可爲天下？」**

太公曰：「大①蓋天下，然後能容天下；信蓋天下，然後能

解網施仁

成湯爲君寬厚仁慈。一次他外出到郊外的田野中，看見有人四面張著羅網捕鳥雀，覺得很殘忍，就勸他們把三面網撤掉，祇留一面。當時漢江以南的列國諸侯們聽說了這件事，都稱讚說：「湯王的仁德可謂至盡了。他對鳥獸都如此仁義，更何況對人了。」於是，一下子便有三十六國同時歸順了成湯。這是以仁德服天下的極好例子。

約②天下；仁蓋天下，然後能懷③天下；恩蓋天下，然後能保天下；權蓋天下，然後能不失天下；事而不疑，則天運④不能移，時變不能遷。此六者備，然後可以爲天下政。

注釋 ①大：這裏指氣量、氣度。②約：約束。③懷：使歸向、歸順。④天運：天命，自然的氣數。

譯文 文王問太公說：「應該怎樣做才能治理好天下？」

太公說：「氣量足以覆蓋整個天下，然後才能包容天下；誠信足以覆蓋整個天下，然後才能約束天下；仁愛足以覆蓋整個天下，然後才能使天下歸服；恩德足以覆蓋整個天下，然後才能保住天下；權勢足以覆蓋整個天下，然後才能不失去天下；遇事而不遲疑，那麼天命的變化不能使之改變，時勢的變化不能使之遷移。這六點都具備了，然後才能執政天下。」

原文 **「故利天下者，天下啓之；害天下者，天下閉之；生天下者，天下德之；殺①天下者，天下賊②之；徹天下者，天下通**

之；窮天下者，天下仇之；安天下者，天下恃之；危天下者，天下災之。天下者非一人之天下，唯有道者處之。」

注釋 ①殺：滅絕。②賊：殘害，毀滅。

譯文 「所以，使天下人獲利的，天下人都會歡迎他；使天下人受到損害的，天下人都抗拒他；使天下人得以生存的，天下人都感激他的恩德；使天下人遭受滅絕危險的，天下人都會來毀滅他；使天下人的生路條條貫通的，天下人都會讓他的事業暢通無阻；使天下人窮困的，天下人都會仇視他；使天下人得到安穩的，天下人都會依靠他；使天下人遭受危險的，天下人就會使他遭受災害。天下並不是哪一個人的天下，祇有仁德的人才能擁有治理天下的權力。」

三疑第十七

原文 **武王問太公曰：「予欲立功，有三疑：恐力不能攻強、離親、散衆，爲之奈何？」**

太公曰：「因[1]之，慎謀，用財。夫攻強，必養之使強，益之使張。太強必折，太張必缺。攻強以強，離親以親，散衆以衆。凡謀之道，周密爲寶。設之以事，玩[2]之以利，爭心必起。

注釋 ①因：因循，順應。②玩：玩弄。這裏指引誘。

譯文 武王問太公說：「我想建功立業，但有三點疑惑：一是擔心自己的力量不能攻破強大的敵人，二是擔心不能離間敵國君主的親信，三是擔心不能使敵國民心渙散，應該怎麼做呢？」

太公回答：「先要因勢利導，然後慎用計謀，最後使用錢財。進攻強敵，一定先要縱容他，令其持強蠻橫，幫助他擴張勢力。過於強橫，就一定會遇到挫折；過度擴張，就一定會有失誤。要進攻強大的敵人，應該先利用他的強大；離間敵人的親信，應該先利用敵人的親信；要使敵國民心渙散，應該先利用敵國的民衆。大凡運用計謀，都應該以周密爲最重。要安排一些事情，要用各種利益加以引誘，他們一定會產生互相爭奪的心理。

原文 **「欲離其親，因其所愛，與其寵人，與之所欲，示之所**

利，因以疏之，無使得志。彼貪利甚喜，遺疑①乃止。

注釋 ①遺疑：遺留的疑慮。這裏指對我方真實意圖的懷疑。

譯文 「想要離間敵國君臣，應當根據他所喜愛的東西，並通過他所寵信的人來施行，送給他們想要得到的東西，許給他們豐厚的利益，通過這些來疏遠他們與其君主的關係，使他們不能有所作爲。他們在獲得種種利益之後一定覺得十分高興，這樣就會停止對我方意圖的懷疑。」

原文 **「凡攻之道，必先塞其明，而後攻其強，毀其大①，除民之害。淫之以色，啖②之以利，養之以味，娛之以樂。既離其親，必使遠民，勿使知謀，扶③而納④之，莫覺其意，然後可成。」**

注釋 ①大：指守備堅固的大城邑。②啖：這裏指利誘。③扶：誘導。④納：納入。

譯文 「通常進攻強大的敵國，首先要閉塞敵國君主的視聽，然後再進攻他強大的軍隊，毀壞他的大城邑，解除民衆的痛苦。要做到這些，對於敵國的君主，應該用美女去迷惑他，用利益去引誘他，用美味去

供養他，用靡靡之音使他迷亂。既然已經離間了他的親信，必須進一步使他同自己的民衆疏遠，不要讓他識破我方的計謀，誘導他進入我方設置的陷阱中，並使他自己毫不知覺，這樣我們的計謀就成功了。」

原文 **「惠施於民，必無愛①財。民如牛馬，數②餧③食之，從而愛之。**

「心以啓智，智以啓財，財以啓衆，衆以啓賢，賢之有啓，以王天下。」

注釋 ①愛：吝惜。②數：屢次。③餧：以食物給人或畜吃。

譯文 「對廣大民衆施加恩惠，一定不要吝惜財物。民衆就如同牛馬，一定要經常喂養他們，他們就會追從並親近自己。

「用心思考能夠產生智慧，智慧能夠產生財富，財富能夠贏得民衆，民衆中會出現賢才，賢才出現了並爲我所用，就可以完成統一天下的王業。」

王翼第十八

原文　武王問太公曰：「王者帥師，必有股肱羽翼①，以成威神，爲之奈何？」

太公曰：「凡舉兵帥師，以將爲命②。命在通達，不守一術。因能受③職，各取所長，隨時變化，以爲綱紀。故將有股肱羽翼七十二人，以應天道④。備數如法，審知命理⑤，殊能異技，萬事畢矣。」

注釋　①羽翼：禽鳥的翼翅。比喻輔佐的人。②命：根本所在，這裏指全軍首腦。③受：通「授」。④天道：大自然的運行規律。古人認爲如果人事有缺失，天道就會發生變化。人事與天道相應，就能避免災禍。古代以五日爲一候，三候爲一節氣，一年有七十二候，二十四節氣。根據動物、植物以及其他自然現象變化的徵候，說明每一候，每一節氣的時令變化。這也是所謂的「天道」之一。「股肱羽翼七十二人，以應天道」就是用七十二人應七十二候。⑤命理：天命，自然的法則。

譯文　武王問太公說：「君主統率軍隊，一定有作爲股肱和羽翼的輔佐之人，以造成尊貴威嚴、神奇莫測的氣勢，如何纔能做到這一點呢？」

太公回答：「通常用兵統率軍隊，應該把將領視爲全軍的首腦。全軍的首腦在指揮軍隊時應該事理通達，而不能衹精通一種本領。所以，在選用人才時，應該根據實際能力授予官職，取其所長，處理事情時根據情況的不同靈活運用，並使之成爲一項制度。所以，作爲將帥，需要有七十二個輔助之人，從而順應天道的七十二候。按照這種方法編制配備助手，清楚地知道天命和事理，發揮各種人才的特殊才能，那麼作爲將領的各項任務就可以圓滿地完成了。」

原文　武王曰：「請問其目①？」

太公曰：「腹心一人。主潛謀應卒②，揆天③消變④，總攬計謀，保全民命。

注釋　①目：細目，指編制的詳細情況。②卒：通「猝」，突然，這裏指突然發生的緊急情況。③揆天：測度天象，窺探天意。④變：災變。

譯文　武王問：「請問人員編制的具體情況是什麼？」

太公回答：「心腹之人一人。他的主要任務是暗中參謀策劃，應對突發事件，觀測天象，探知天意，消除災變，總攬軍國大計，保全民眾的生命。

原文　**「謀士五人。主圖安危，慮未萌，論行能①，明賞罰，授官位，決嫌疑，定可否。**

注釋　①行能：德行和才能。

譯文　「謀士五人。主要任務是謀劃全軍的安全，考慮尚未發生的事變，鑒定將士的德行和才能，明確賞罰制度，授予各種官職，決斷疑難問題，確定事情是否可行。

原文　**「天文三人。主司星曆①，候風氣②，推時日③，考符驗④，校⑤災異，知天心去就⑥之機。**

注釋　①星曆：星象曆數。②候風氣：占驗風向和時氣的變化。③時日：指時日的吉凶。④符驗：應驗，符合。⑤校：考察，查對。⑥去就：離散或歸向。

譯文　「天文三人。負責觀察天象，掌握曆法，占驗風向和時氣的變化，推演時日吉凶，驗證人事是否符合天意，核驗災異現象，從而掌握天意向背發生變化的關鍵所在。

原文　**「地利三人。主三軍①行止形勢②，利害消息③，遠近險易，水涸山阻，不失地利。**

注釋　①三軍：指車、騎、步三個兵種，這裏代指全軍。②形勢：地形和地勢。③消息：指一消一長。

譯文　「地利三人。負責查明全軍的行軍道路以及駐紮之地的地形

攝伏旗鼓者三人主攝伏旗鼓明三軍之耳目鼓所以明耳旗所以明目言三軍之衆視不相見故明之以旗言不相聞故明之以鼓或詭符印使之不可知或譎號令使之不可測忽往來出入如神使敵莫能窺我之形也

地勢，分析其利弊得失和各種變數，無論是距離的遠近，地形的險易，還是進入缺水地帶，或進入險阻的山區，都能確保我軍不失去地理優勢。

原文 **「兵法九人。主講論異同，行事成敗，簡練①兵器，刺舉②非法。**

注釋 ①簡練：精心選擇，熟練掌握。②刺舉：檢舉。

譯文 「兵法九人。負責研究討論敵我形勢的異同，分析討論作戰勝負的原因，精心選擇並熟練掌握兵器，檢舉揭發軍中的非法行爲。

原文 **「通糧四人。主度①飲食，備蓄積，通糧道，致五穀，令三軍不困乏。**

注釋 ①度：計算。

譯文 「通糧四人。負責計算全軍糧草所需，籌備物資儲存，確保糧道暢通無阻，徵收籌集軍糧，使全軍不至於感到物資匱乏。

原文 **「奮威四人。主擇材力①，論兵革②，風馳電掣，不知所由。**

注釋 ①材力：這裏指具有勇力的人。②兵革：兵器和甲冑的總稱。泛指武器軍備。

譯文 「奮威四人。負責選拔勇士，研究優良的武器裝備，以保證作戰時士兵能夠風馳電掣般行動，使敵人不知道他們從何而來。

原文 **「伏①鼓旗三人。主伏鼓旗，明耳目，詭符節②，謬號令，闇忽③往來，出入若神。**

注釋 ①伏：通「服」，服習，熟練地掌握。②符節：發兵符和使者所持節的統稱。③闇忽：突然。

譯文 「伏鼓旗三人。負責熟練地掌握運用鼓和旗傳達命令的方法，使全軍在鼓和旗的指揮下能統一行動，製造假符節，發佈假命令，用來迷惑敵人，突然往來，神出鬼沒。

原文 **「股肱四人。主任重持難，修溝塹，治壁壘，以備守禦①。**

注釋 ①守禦：防守，防禦。

【譯文】「股肱四人。主要負責擔負重要的使命，從事艱難的工作，修理溝塹障礙，構築壁壘工事，用來防備守禦。

【原文】**「通材①三人。主拾遺②補過，應偶③賓客，論議談語，消患解結④。**

【注釋】①通材：通才。②拾遺：原指拾取他人的遺失之物，這裏指指出尊者的缺點過失。③應偶：應酬接待。④解結：釋冤，解怨。

【譯文】「通才三人。主要負責指出將帥的過失，借以彌補他的缺點過失，應酬接待賓客，發表議論，討論問題，借以消除禍患，解除怨仇。

【原文】**「權士①三人。主行奇譎②，設殊異，非人所識，行無窮之變。**

【注釋】①權士：謀士。②奇譎：奇謀詭計。

【譯文】「謀士三人。主要負責籌劃奇謀詭計，設計異術絕技，讓人難以識破，從而施行無窮無盡的權變。

【原文】**「耳目①七人。主往來聽言視變，覽四方之事，軍中之情。**

【注釋】①耳目：監視人或爲別人收集情報者。

【譯文】「耳目七人。主要負責往來探聽消息，察伺大小事變，觀察四面八方發生的動態，以及軍中的情勢。

【原文】**「爪牙①五人。主揚威武，激勵三軍，使冒難②攻銳，無所疑慮。**

【注釋】①爪牙：比喻武臣。②冒難：不避禍患。

【譯文】「武臣五人。主要負責弘揚我軍的威勢，激勵三軍的鬥志，使他們不避禍患，敢於攻堅破銳，並且沒有遲疑和憂慮。

【原文】**「羽翼四人。主揚名譽，震遠方，搖動①四境，以弱敵心。**

【注釋】①搖動：搖之使動，動搖。

【譯文】「羽翼四人。主要負責宣揚我軍的威名美譽，使之震駭遠方，動搖四方鄰國，借以削弱敵人的鬥志。

原文 **「遊士①八人。主伺奸候變，開闔②人情，觀敵之意，以爲間諜。」**

注釋 ①遊士：古代稱從事遊說活動的人。②開闔：開啓與閉合。

譯文 「遊士八人。主要負責監視敵人派出的奸細，觀察敵人內部的變亂，操縱敵國的人心，觀察敵人的意圖，充當間諜。」

原文 **「術士①二人。主爲譎詐②，依托鬼神，以惑衆心。」**

注釋 ①術士：指以占卜、星相等爲職業的人。②譎詐：狡詐，奸詐。

譯文 「術士兩人。主要負責使用詭詐手段，借助鬼神，迷惑敵人軍心。」

原文 **「方士①二人。主百藥，以治金瘡②，以痊萬病。」**

注釋 ①方士：指煉製丹藥的人。②金瘡：金屬利器對人體所造成的創傷。

譯文 「方士兩人。主要負責管理各種藥品，治療兵刃造成的創傷，醫治各種疾病。

原文 **「法算①二人。主計會②三軍營壁、糧食、財用出入。」**

注釋 ①法算：古代軍隊中主會計之事的人。②計會：計算。

譯文 「法算兩人。主要負責計算全軍所需的營壘、糧食，以及錢財物資的收支。」

論將第十九

原文 **武王問太公曰：「論將之道奈何？」**

太公曰：「將有五材、十過①。」

注釋 ①過：缺點，不好的品質。

譯文 武王問太公說：「評論將帥所依據的標準有哪些？」

太公回答：「將帥應該具備的優秀品質有五種，應該避免的缺點有十種。」

原文 **武王曰：「敢問其目？」**

太公曰：「所謂五材者，勇、智、仁、信、忠也。勇則不可犯，智則不可亂，仁則愛人，信則不欺，忠則無二心。

【譯文】武王問：「我冒昧地請問它的具體內容是什麼？」

太公回答：「所謂五種優秀品質，就是勇敢、智慧、仁慈、誠信和忠誠。勇敢就不可侵犯，智慧就不可惑亂，仁慈就會愛護士卒，誠信就不會欺騙他人，忠誠就不會懷有二心。

【原文】**「所謂十過者，有勇而輕死者，有急而心速①者，有貪而好利者，有仁而不忍人②者，有智而心怯者，有信而喜信人者，有廉潔而不愛人者，有智而心緩者，有剛毅而自用③者，有懦而喜任人者。**

【注釋】①心速：指匆忙作出決定，急於求功。②不忍人：不忍心傷害別人。③自用：自以爲是，拒絕接受別人的意見。

【譯文】「所謂十種缺點，就是勇敢而輕易赴死，急躁而急於求功，貪婪而喜好財貨，仁慈而不忍心傷害別人，睿智而過於膽怯，誠信而輕信他人，廉潔而不能施予恩惠，機巧多智而優柔寡斷，剛毅而剛愎自用，懦弱而喜歡依賴別人。

【原文】**「勇而輕死者可暴也，急而心速者可久①也，貪而好利者可遺②也，仁而不忍人者可勞③也，智而心怯者可窘④也，信而喜信人者可誑⑤也，廉潔而不愛人者可侮也，智而心緩者可襲也，剛毅而自用者可事⑥也，懦而喜任人者可欺也。**

【注釋】①久：這裏指持久作戰，消磨他的銳氣。②遺：贈送禮物，這裏指賄賂。③勞：煩勞，困擾。④窘：窘迫，束手無策。⑤誑：欺騙。⑥事：這裏指用瑣事使其心力交瘁。

【譯文】「勇敢而輕易赴死的，可以激怒他；急躁而急於求功的，可以採用持久戰術拖垮他；貪婪而喜好財貨的，可以賄賂他；仁慈而不忍心傷害別人的，可以煩勞困擾他；睿智而過於膽怯的，可以採取措施使他困窘而束手無策；誠信而輕信他人的，可以欺騙他；廉潔而不能施予恩惠的，可以侮辱他；機巧多智而優柔寡斷的，可以突然襲擊他；剛毅而剛愎自用的，可以用瑣事使其心力交瘁；懦弱而喜歡依賴別人的，可以欺負他。

原文　「故兵者，國之大事，存亡之道，命在於將。將者，國之輔，先王①之所重也，故置將不可不察也。故曰：兵不兩勝②，亦不兩敗③。兵出踰境，期不十日，不有亡國，必有破軍殺將。」

武王曰：「善哉！」

注釋　①先王：先代聖王，這裏指文王。②兩勝：雙方都勝利。③兩敗：雙方都失敗。

譯文　「所以出兵作戰，是國家的大事，是國家存亡的根本，而軍隊的命運卻掌握在將帥的手中。將帥，是國家的輔佐，是文王所重視的，所以任命將帥不可以不認真考察。所以說：出兵作戰，不可能使雙方都取得勝利，也不可能使雙方都失敗。出動軍隊，越過國境，不超過十天，不是使敵國滅亡，就是全軍戰敗，主將被殺。」

武王說：「您說得真好！」

選將第二十

原文　武王問太公曰：「王者舉兵，欲簡練①英雄，知士之高下，爲之奈何？」

太公曰：「夫士外貌不與中情②相應者十五：有賢而不肖者，有溫良而爲盜者，有貌恭敬而心慢者，有外廉謹而內無至誠者，有精精③而無情者，有湛湛④而無誠者，有好謀而不決者，有如果敢而不能者，有悾悾⑤而不信者，有怳怳惚惚⑥而反忠實者，有詭激⑦而有功效者，有外勇而內怯者，有肅肅⑧而反易人者，有嗃嗃⑨而反靜愨者，有勢虛形劣而外出無所不至、無所不遂者。天下所賤，聖人所貴，凡人莫知，非有大明不見其際，此士之外貌不與中情相應者也。」

注釋　①簡練：精選訓練。這裏指精選。②中情：內心的實情。③精精：精明的樣子。④湛湛：厚道穩重的樣子。⑤悾悾：誠懇的樣子。⑥怳怳惚惚：心神不定的樣子。⑦詭激：怪

登壇拜將

韓信（?—前一九六），字重言，淮陰（今江蘇淮安）人，西漢開國功臣。初投項羽不受重用，於是投劉邦，劉邦開始並沒有覺得他特別，後來在蕭何的極力推薦下，劉邦舉辦了隆重的儀式，正式任命韓信爲大將軍。韓信在楚漢爭霸過程中，爲劉邦的大漢立下大功。可見，知人、識人是很重要的一門學問。

異偏激，異於常情。⑧肅肅：恭敬嚴正的樣子。⑨嗃嗃：嚴酷的樣子。

【譯文】武王問太公說：「君王起兵，想要精選傑出人士，瞭解他的品德、能力的高低，應該怎麼做呢？」

太公回答：「士人的外表與他內心實情不相符合的情況有十五種：有表面賢淑而實際上無德無才的，有表面溫和善良而實際上是盜賊的，有表面謙虛恭敬而實際上傲慢無比的，有表面廉潔謹慎而實際不忠誠的，有表面上十分精明而實際上毫無才情的，有表面上厚道穩重而實際上毫無誠信的，有表面上多謀而實際上不能決斷的，有表面上果斷而實際上無所作爲的，有表面上誠懇而實際上沒有信用的，有表面上搖擺不定而實際上忠誠可靠的，有表面上怪異偏激而辦事情卻能收到功效的，有表面上勇敢而實際上膽怯的，有表面上嚴肅恭謹而實際上輕視他人的，有表面上嚴酷而實際上沈靜誠實的，有貌不出衆、孱弱醜陋而能外出擔任任何地方的使節，能完成任何使命的。往往是爲天下人所輕視的，卻爲聖人所重視，普通人不能明白其中的道理，衹有慧眼卓識的人才能窺探其中的奧妙，以上這些就是士人的外表與他內心實情不相符合的情況。」

原文 武王曰：「何以知之？」

太公曰：「知之有八徵①：一曰問之以言以觀其辭②，二曰窮之以辭以觀其變，三曰與之間諜以觀其誠，四曰明白顯問以觀其德，五曰使之以財以觀其廉，六曰試之以色以觀其貞，七曰告之以難③以觀其勇，八曰醉之以酒以觀其態。八徵皆備，則賢、不肖別矣。」

注釋 ①徵：徵驗。②辭：言辭，這裏指應對能力。③難：禍難，急難。

譯文 武王問：「怎樣纔能眞正瞭解他們呢？」

太公回答：「瞭解他們的方法有八種：一是用問題來詢問他們，來觀察他的應對能力；二是窮究盤問，來觀察他隨機應變的能力；三是利用間諜進行考驗，來觀察他是否忠誠；四是明知故問，來考察他的品德；五是讓他處理財物，來考察他是否廉潔；六是用美色試探他，來觀察他是否堅貞；七是讓他面臨急難變故，來觀察他是否英勇無畏；八是讓他醉酒，來考察他是否能保持常態。這八種方法都運用了之後，那麼是賢還是不肖就可以清楚地區別了。」

立將第二十一

原文 武王問太公曰：「立將①之道奈何？」

太公曰：「凡國有難，君避正殿②，召將而詔之曰：『社稷安危，一在將軍。今某國不臣，願將軍帥師應③之。』

注釋 ①立將：任命將帥。②避正殿：古代國家發生災異異急難之事，帝王避離正殿，表示自我貶責，期望消災彌難。正殿，國君舉行朝會、發佈政令的殿堂。③應：對付，這裏指征伐。

譯文 武王問太公說：「應該怎樣任命將帥呢？」

人君入廟門內西面而立就主位也大將入廟門內北面而立就臣位也君親操鉞持其首授將以其柄曰從此上至於天者將軍制之鉞揚也有向上之義故以天言授鉞而以柄者欲致果於人也

太公回答：「通常國家遭遇危難，國君就退避正殿，在偏殿召見主將，詔令他：『國家的安危，全靠將軍了。如今某國反叛不服，希望將軍率領軍隊前去征伐。』

原文 「將既受命，乃命太史卜，齋三日，至太廟①，鑽靈龜②，卜吉日，以授斧鉞③。君入廟門，西面而立④；將入廟門，北面而立。君親操鉞持首，授將其柄曰：『從此上至天者，將軍制之。』復操斧持柄，授將其刃曰：『從此下至淵者，將軍制之。見其虛則進，見其實則止，勿以三軍爲眾而輕敵，勿以受命爲重而必死，勿以身貴而賤人，勿以獨見而違眾，勿以辯說爲必然。士未坐勿坐，士未食勿食，寒暑必同。如此，則士眾必盡死力。』將已受命，拜而報君曰：『臣聞國不可從外治，軍不可從中⑤御。二心不可以事君，疑志⑥不可以應敵。臣既受命專斧鉞之威，臣不敢生還。願君亦垂一言之命⑦於臣！君不許臣，臣不敢將。』

注釋 ①太廟：帝王的祖廟。國家遇到大事，一定要稟告太廟，在太廟舉行儀式，表示已經稟告先王。②鑽靈龜：用龜甲占卜，首先要在龜甲背面鑽鑿一些孔眼，然後用火灼孔，根據龜甲背面裂開的紋路判斷吉凶。靈龜，對占卜用的龜甲的美稱。③斧鉞：斧與鉞。軍中以斧鉞爲執法殺人的刑具。授予斧鉞象徵着授予統軍的權力。④西面而立：處東向西而立，這是主人的位置。古代以處北向南的位置爲最尊。國君西面而立，一方面表示禮賢，另一方面，在太廟中，先王的神位已居於南面。⑤中：這裏指朝廷之中。⑥疑志：猶豫寡斷，心意不堅定。⑦一言之命：一句話的命令，指授予權力的明確表示。

譯文 「主將接受任命後，國君就命令太史占卜，齋戒三天，然後到太廟鑽灸靈龜，獲得吉日，向主將授予斧鉞。國君進入太廟，向西站立；主將也進入太廟，向北站立。國君親自拿着鉞的上部，將鉞柄授予主將，並說：『從此，軍中上到天的一切事務全由將軍您處置。』然後親自拿着斧柄，將其刃部授予主將，並說：『從此，軍中下到淵的一切事務全由將軍您處置。看到敵人氣勢虛弱就趁機進攻，看到敵軍強大難勝就停止，不要因爲我軍人數衆多就輕敵，不要因爲任務重大就去拼死，不要因爲身份貴重就輕視他人，不要因爲自己見解獨到就不聽衆人的意見，不要因爲自己能言善辯就認爲必須要這樣。士卒們還沒有坐下就不要先坐下，士卒們還沒有吃飯就不要先吃飯，或嚴寒或酷暑都要與士卒相同。如果這麼做，那麼士卒將士都會拼死作戰。』主將接受任命後，向國君跪拜，並答復國君：『我聽說國家大事不可受到外部的干預，軍隊外出打仗不可由國君在朝廷內指揮。懷有二心就不能侍奉君主，猶豫寡斷就不能應對敵人。我既然接受任命執掌軍隊的權力，若不取得勝利就不會活着回來。希望國君您讓我全權統轄一切！您如果不授予我這一權力，我就不敢承擔重任。』

原文 **「君許之，乃辭而行。軍中之事，不聞君命，皆由將出，臨敵決戰，無有二心。若此，則無天於上①，無地於下②，無敵於前③，無君於後④。是故智者爲之謀，勇者爲之鬥，氣厲⑤青雲，疾若馳騖⑥，兵不接刃，而敵降服。戰勝於外，功立於內，吏遷士賞，百姓歡說，將無咎殃。是故風雨時節⑦，五穀豐熟，社稷安寧。」**

武王曰：「善哉！」

注釋 ①無天於上：這裏指無論天時氣候發生什麼變化，都不受其限制。②無地於下：這裏指無論地形地勢發生什麼變化，都不受其限制。③無敵於前：這裏指無論前方敵情發生什麼變化，都不受其限制。④無君於後：這裏指無論在後方的國君有什麼意見，都不受其限制。⑤厲：上揚，昂揚。⑥馳騖：疾馳，奔騰。這裏指奔馳的馬。⑦時節：這裏指合時令節氣。

譯文 「國君應許了主將的這一請求，主將就辭別國君，領兵出行。

從此，軍中的一切事務都不再聽命於國君，而是聽命於主將，與敵人作戰，專心致志。如果這樣，主將進行軍事活動，上不受天時氣候變化的限制，下不受地形地勢變化的限制，前不受敵情變化的限制，後不受國君意見的限制。所以有智謀的人願意替他出謀劃策，勇武之人願意替他作戰，氣勢昂揚直通青雲，行動迅速如同奔馳的駿馬，兩軍還沒有交戰，敵人就已經望風降服。在國外取得戰爭的勝利，在朝廷內建立了功勛，將吏得到了遷陞，士卒得到了獎賞，百姓歡心，主將沒有禍患。所以風調雨順，符合時令節氣的變化，五穀豐收，國家安寧。」

武王說：「您說得眞好啊！」

將威第二十二

原文 **武王問太公曰：「將何以爲威？何以爲明？何以爲禁止而令行？」**

太公曰：「將以誅大①爲威，以賞小②爲明，以罰審③爲禁止而令行。故殺一人而三軍震者，殺之；賞一人而萬人說④者，賞之。殺貴大，賞貴小。殺及當路⑤貴重之臣，是刑上極也；賞及牛豎、馬洗、廄養之徒，是賞下通也。刑上極，賞下通，是將威之所行也。」

注釋 ①大：這裏指地位尊貴、有權勢的人。②小：這裏指地位低微、沒有權勢的人。③審：詳審，謹慎而周密。④說：通「悅」。⑤當路：指身居要職。

譯文 武王問太公說：「主將怎樣樹立自己的威信？怎樣才能體現自己的英明？怎樣實現所禁必止、有令必行？」

太公回答：「主將通過誅殺地位尊貴、有權勢的人來樹立威信，通過獎賞地位低微、沒有權勢的人來體現自己的英明，通過謹慎周密的處罰來實現所禁必止、有令必行。所以殺一人而能使全軍上下震驚的，就殺掉他；賞一人而能使全軍上下都喜悅的，就獎賞他。施行殺伐貴在能誅殺地位尊貴、有權勢的人，施行獎賞貴在獎賞地位低微、沒有權勢的人。依法處死身居要職的人和貴族權臣，這說明刑罰觸及到了最上層；根據功勞獎賞牧童、馬洗、廄養等人，說明獎賞觸及到了最下層。刑罰觸及到了最上層，獎賞觸及到了最下層，就是主將的威信能夠樹立的原因。」

勵軍第二十三

原文 **武王問太公曰：「吾欲令三軍之眾，攻城爭先登，野戰爭先赴，聞金聲①而怒，聞鼓聲而喜，爲之奈何？」**

太公曰：「將有三勝。」

注釋 ①金聲：指鉦聲。鉦是古代的一種樂器，以物擊之而鳴，在行軍時敲打。兩軍交鋒，擊鼓則前進，鳴金則撤退。

譯文 武王問太公說：「吾想要使全軍的將士，在攻打城池時爭先登城，在野外作戰時爭先衝鋒，聽到了鉦聲就憤怒，聽到了鼓聲就歡喜，應該怎麼做呢？」

太公回答：「主將有三種取勝的方法。」

原文 **武王曰：「敢問其目？」**

太公曰：「將，冬不服裘，夏不操扇，雨不張蓋，名曰禮將；將不身服禮①，無以知士卒之寒暑。出隘塞②，犯泥塗③，將必先下步④，名曰力將；將不身服力，無以知士卒之勞苦。軍皆定次⑤，將乃就舍；炊者皆熟，將乃就食；軍不舉火⑥，將亦不舉，名曰止欲將。將不身服止欲，無以知士卒之飢飽。將與士卒共寒暑、勞苦、飢飽，故三軍之眾，聞鼓聲則喜，聞金聲則怒。高城深池，矢石繁下，士爭先登；白刃始合，士爭先赴。士非好死而樂傷也，爲其將知寒暑、飢飽之審，而見勞苦之明也。」

注釋 ①服禮：遵循禮法。②隘塞：狹窄險要的關塞。③泥塗：泥濘的道路。④下步：下馬步行。⑤次：指行軍在一處停留三宿以上。這裏指軍隊宿營。⑥舉火：生火做飯。

譯文 武王問：「我冒昧地請問這三種方法的具體內容是什麼呢？」

太公回答：「擔任主將，要做到冬天不穿皮衣，夏天不拿扇子，下雨不張傘蓋，這樣的將帥稱爲禮將；主將不親自遵守禮法，就無法體會士卒的冷暖。出入狹窄險要的關塞，走上泥濘的道路，主將必須率先下馬步行，這樣的將帥稱爲力將；主將不身體力行，就無法體會士卒的勞苦。軍隊都宿營完畢了，主將才能進入自己的宿舍；軍隊的飯菜都做好了，主將才能進餐；軍隊還沒有生火做飯，主將也不能生火做飯，這樣的將帥稱爲止欲將。主將如果不能習慣克制欲望，就無法體會士卒的飢飽。主將如果與士卒共冷暖、共勞苦、共飢飽，那麼全軍的將士都會聽到鼓聲就歡喜，聽到鉦聲就憤怒。城牆雖然很高，護城河雖然很深，箭矢和滾石雖然頻繁地落下，但是將士們都爭先登城；野戰時，雙方剛一交鋒，將士們都爭先衝鋒。將士們並不是喜歡死亡，樂於傷殘，而是因爲他們的將帥能夠細致地體會到自己的冷暖、飢飽，明確地感受到自己的勞苦。」

書香傳家

六韜·三略

陰符第二十四

原文　武王問太公曰：「引兵深入諸侯之地①，三軍卒有緩急②，或利或害，吾將以近通遠，從中應外，以給三軍之用，爲之奈何？」

太公曰：「主與將有陰符③，凡八等：有大勝克敵之符，長一尺；破軍擒將之符，長九寸；降城得邑之符，長八寸；卻敵報遠之符，長七寸；警衆堅守之符，長六寸；請糧益兵之符，長五寸；敗軍亡將之符，長四寸；失利亡士之符，長三寸。諸奉使行符，稽留者，若符事泄，聞者、告者皆誅之。八符者，主將秘聞，所以陰通言語，不泄中外相知之術。敵雖聖智，莫之能識。」

武王曰：「善哉！」

符與符節之符同，或以銅或以竹爲之，中分爲二，右留於君，左在將所，有事則陰通而合之

注釋　①諸侯之地：其他諸侯國的土地。這裏指敵國領土。

②緩急：這裏指緊急情況。③陰符：主將與國君通信時作爲秘

密信號的符。陰，隱蔽，秘密。符，古代朝廷用來傳達命令的憑證，用竹簡或金玉製成，上面寫有文字，一分爲二，由主將和國君各執一半。

譯文 武王問太公說：「率領軍隊深入敵國境內，軍隊突然遇到緊急情況，或許對我軍有利，或許對我軍不利，我想要從近處通知遠方，內外相應，以便滿足全軍行動的需要，應該怎麼做呢？」

太公回答：「國君與主將之間有秘密通信的兵符，共有八種：一種是我軍大獲全勝、殲滅敵人的兵符，長一尺；一種是擊破敵軍、擒獲將領的兵符，長九寸；一種是敵軍棄城投降的兵符，長八寸；一種是擊退敵軍通報戰況的兵符，長七寸；一種是激勵將士誓死堅守陣地的兵符，長六寸；一種是請求增加糧草和援兵的兵符，長五寸；一種是通報戰敗、將領陣亡的兵符，長四寸；一種是通報戰鬥失利、士卒傷亡的兵符，長三寸。那些奉命傳遞兵符的使者，如果在路上延誤，或者泄露兵符上的機密，無論是聽到的人還是泄露的人，都一律處死。這八種兵符，衹有國君和主將知道其中的秘密，所以使用這些兵符能夠暗中傳遞消息，是一種不泄露朝廷和戰場之間的秘密的通信手段。即使敵人很聰明，也不能識破其中的奧秘。」

武王說：「您說得眞好！」

陰書第二十五

原文 武王問太公曰：「引兵深入諸侯之地，主將欲合兵①，行無窮之變，圖不測之利，其事煩多，符不能明，相去遼遠②，言語不通，爲之奈何？」

太公曰：「諸有陰事大慮③，當用書，不用符。主以書遺將，將以書問主，書皆一合而再離④，三發而一知⑤。再離者，分書爲三部；三發而一知者，言三人，人操一分，相參⑥而不相知情也。此謂陰書，敵雖聖智，莫之能識。」

武王曰：「善哉！」

【注釋】①合兵：將幾支軍隊合併在一起。這裏指幾支軍隊配合作戰。②遼遠：遥遠。③大慮：重大的謀慮。④再離：拆離兩次，分爲三部分。⑤一知：合三部分爲一纔能讀懂。⑥相參：互相摻雜。

【譯文】武王問太公説：「率領軍隊深入敵國境內，國君與主將想要各自率領軍隊，並使兩支軍隊配合作戰，實施變化無窮的作戰方法，謀求出其不意的勝利，然而事情複雜繁多，使用兵符無法說明問題，相隔遥遠，言語不能通達，應該怎麼做呢？」

太公回答：「各種隱秘的事情、重大的謀慮，都應該用書信來傳達，而不用兵符。國君用書信向主將傳達機密，主將也用書信詢問國君，這些書信，都是把完整的一封書信拆離兩次，分爲三部分，分三次發送，然後把三封信合在一起，纔能讀懂。所謂將書信拆離兩次，就是將書信分爲三部分；所謂分三次發送，然後把三封信合在一起，就是派三個人送信，每人各送一部分，互相摻雜，使每個人都不瞭解

書信的內容。這就是所謂的陰書，即使敵人很聰明，也不能識破其中的奧秘。」

武王說：「您說得很好！」

軍勢第二十六

【原文】**武王問太公曰：「攻伐之道奈何？」**

太公曰：「勢因於敵家之動，變生於兩陳之間，奇正①發於無窮之源。故至事②不語，用兵不言。且事之至者，其言不足聽也；兵之用者，其狀不足見也。倏③而往，忽而來，能獨專而不制者，兵也。

【注釋】①奇正：古時兵法術語。古代作戰以對陣交鋒爲正，設伏掩襲等爲奇。②至事：最重大的事情。③倏：疾快地，忽然。

【譯文】武王問太公說：「進攻作戰的方法有哪些呢？」

太公回答：「我軍在戰場的態勢要根據敵軍的行動因勢利導，戰術

的變化在兩軍對陣時靈活發揮，奇正的運用在於將帥慧心獨創而變化無窮。所以最重大的事情不可以說出去，用兵的奧妙不能講出來。並且事情到了最重要的程度後，一切言語都不足聽信；用兵的手段十分高妙，一切情狀都不必讓人看到。忽然而去，忽然而來，能夠獨斷專行而不受制於人，這就是用兵的奧妙。

原文 **「夫兵聞則議，見則圖，知則困，辨①則危。故善戰者，不待張軍②；善除患者，理於未生；善勝敵者，勝於無形；上戰③無與戰。故爭勝於白刃之前者，非良將也；設備於已失之後者，非上聖④也；智與衆同，非國師也；技與衆同，非國工⑤也。事莫大於必克，用莫大於玄默⑥，動莫神於不意，謀莫善於不識。夫先勝者，先見⑦弱於敵，而後戰者也，故事半而功倍焉。**

注釋 ①辨：明察。②張軍：陳兵，擺開陣勢。③上戰：最高明的戰略。④上聖：智能超群、品德傑出的人。⑤國工：一國中技藝特別高超的人。⑥玄默：清靜無爲。⑦見：通「現」，顯露。

譯文 「我軍的軍事機密泄露，敵人就會採取對策；軍隊的行動暴露，敵人就會圖謀；軍事秘密被敵人得知，我軍就會陷入困境；我軍的作戰策略被敵人明察，我軍就危險了。所以善於用兵的，不用等軍隊擺開陣勢就能取勝；善於消除禍患的，在禍患尚未發生之前進行預防；善於打勝仗的，取勝於無形之中；最高明的戰略是不戰而勝。所以依靠在戰場上殊死搏鬥取勝的，不能稱爲優秀的將領；在打了敗仗之後再部署防備的，不能稱爲智慧超群的人；智慧謀略與普通人一樣的，不能稱爲國師；技藝與普通人一樣的，不能稱爲國工。軍事上最重要的莫過於一定取勝，用兵上最重要的莫過於清靜無爲，軍事行動上最神妙的莫過於出其不意，謀略上最高明的莫過於使人無法辨識測知。所以，未戰而先勝的，都是先向敵人示弱，然後再進行決戰，因而能達到事半功倍的效果。

原文 「聖人徵①於天地之動，孰知其紀②，循陰陽之道而從其候③；當天地盈縮④因以爲常；物有死生，因天地之形。故曰：未見形而戰，雖衆必敗。

注釋 ①徵：徵驗。②紀：準則，規律。③候：節候。④天地盈縮：指一年之中日夜或長或短的變化，一月之中月盈月缺的變化。

譯文 「聖人徵驗天地運動，反復探求它變化的規律，遵循日月運轉的規律，因循節候行事；與天地運動的盛衰消長相適應，並以此作爲常規；萬物的榮枯生死，都遵循了天地盈縮變化的規律。所以說：沒有看清整個形勢就展開戰鬥，儘管軍隊人數衆多，還是一定會失敗的。

原文 「善戰者，居之不撓①，見勝則起，不勝則止。故曰：無恐懼，無猶豫。用兵之害，猶豫最大；三軍之災，莫過狐疑。善戰者，見利不失，遇時不疑，失利後時，反受其殃。故智者從之而不釋，巧者一決而不猶豫，是以疾雷不及掩耳，迅電不及瞑目②，赴之若驚③，用之若狂，當之者破，近之者亡，孰能禦之？

注釋 ①撓：曲。這裏指受到干擾而改變原來的形態。②瞑目：閉上眼睛。③驚：指受驚之馬。

譯文 「善於作戰的人，能守住自己所處的有利地位而不會被假象所干擾，見到有勝利的把握就行動，見到沒有取勝的把握就停止。所以說：不要恐懼，不要猶豫。用兵最大的弊病就是猶豫不決；軍隊最可怕的災難是狐疑。善於用兵的人，看到有利的情況就抓住不放，遇到有利的時機毫不遲疑，失去有利因素錯過時機，自己反而會遭受災禍。所以聰明的人抓住戰機決不放過，靈巧的人一經決斷就不再遲疑，所以發動進攻時像迅雷一樣讓人來不及掩耳，像閃電一樣讓人來不及閉上眼睛，前進時像受驚之馬，作戰時有如發狂，抵擋他的就被擊破，靠近他的就被殺死，這樣的軍隊還有誰能抵擋？

【原文】「夫將有所不言而守①者神也，有所不見而視者明也。故知神明之道者，野②無衡敵，對無立國。」

武王曰：「善哉！」

【注釋】①守：這裏指堅守玄默之道。②野：曠野。這裏指野外的戰場。

【譯文】「作爲將帥，做到沈靜不漏，能不動聲色地暗中控制，就稱爲神機莫測；做到眼睛不看就能洞察細微，就稱爲明察一切。所以如果將帥懂得了神機莫測和明察一切的道理，就能做到在野外戰場上沒有強敵，在世上沒有可以與之對抗的國家。」

武王說：「您說得眞好啊！」

奇兵第二十七

【原文】武王問太公曰：「凡用兵之道，大要①何如？」

太公曰：「古之善戰者，非能戰於天上，非能戰於地下，其成與敗，皆由神勢②，得之者昌，失之者亡。

【注釋】①要：要旨，概要。②神勢：神妙的用兵之勢。

【譯文】武王問太公說：「通常用兵的方法有哪些要領呢？」

太公回答：「古代善於用兵的人，並不是能戰於天上，也不能戰於地下，他的成功或失敗，都取決於神妙莫測的用兵之勢，能夠造成這種態勢，就能戰勝敵軍，國家昌盛；不能造成這種態勢，就會作戰失敗，國家滅亡。

【原文】「夫兩陳之間，出甲①陳兵，縱卒亂行者，所以爲變②也；深草蓊翳③者，所以逃遁也；溪谷險阻者，所以止車禦騎也；隘塞山林者，所以少擊眾也；坳澤窈冥④者，所以匿其形也；清明無隱者，所以戰勇力也；疾如流矢，如發機⑤者，所以破精微⑥也；詭伏設奇，遠張誑誘⑦者，所以破軍擒將也；四分五裂⑧者，所以擊圓破方⑨也；因其驚駭者，所以一擊十也；因其勞倦暮舍者，所以十擊百也；奇伎⑩者，所以越深水渡江河也；強弩長兵者，所以踰水戰也；長關遠候⑪，暴疾⑫謬遁者，

義智傾服

用兵作戰的方法各有高妙。383年，苻堅親率九十萬秦軍南下進逼東晉，秦晉兩軍對峙淝水兩岸。東晉大將謝玄派使者用激將法讓苻堅同意秦軍後退，晉軍渡河後雙方決戰的建議。結果秦軍一退士氣低落，陣勢大亂，謝玄率領八千多騎兵，趁勢搶渡淝水，向秦軍猛攻。朱序則在秦軍陣後大叫：「秦兵敗矣！秦兵敗矣！」秦兵信以爲真，於是轉身競相奔逃。沿途聽到風聲鶴唳，都以爲是晉軍追來。

所以降城服邑也；鼓行喧囂者，所以行奇謀也；大風甚雨⑬者，所以搏前擒後也；僞稱敵使者，所以絕糧道也；謬號令與敵同服者，所以奮走北⑭也；戰必以義者，所以勵衆勝敵也；尊爵重賞者，所以勸用命⑮也；嚴刑重罰者，所以進罷怠⑯也；一喜一怒、一與一奪、一文一武、一徐一疾者，所以調和三軍、制一臣下也；處高敞者，所以警守也；保險阻者，所以爲固也；山林茂穢者，所以默往來也；深溝高壘，糧多者，所以持久也。

注釋

①甲：盔甲。②變：變詐。指出其不意地採取行動。③蓊翳：茂密的林木。④窈冥：幽闇隱蔽。⑤發機：撥動弩弓的發矢機。⑥精微：精密細微。這裏指敵軍精心佈置的重要部位。⑦誑誘：欺騙誘惑。⑧四分五裂：這裏指將全軍分成若干小隊，分佈在戰場上。⑨擊圓破方：指擊破圓形陣勢和方形陣勢。⑩奇伎：指用各種奇妙的工程技術製成的器械。伎，通「技」。⑪遠候：派人到遠方偵察。⑫暴疾：急速。⑬甚雨：

驟雨，大雨。⑭走北：敗退逃走。⑮用命：效忠，聽命。⑯罷怠：疲困，怠惰。

譯文 「當兩軍對陣交鋒時，讓士兵脫下戰甲，放下兵器，放縱士兵混亂行列，是爲了誘惑敵人，準備採取出其不意的行動；占領草木茂密的地帶，是爲了方便退兵逃走；占領溪谷險要地帶，是爲了阻止敵軍的戰車和騎兵；占領道路狹隘阻塞的山林地帶，是爲了實現以少擊衆的目的；占領隱蔽幽闇的低窪地帶，是爲了隱藏軍隊的行跡；占領平坦開闊的地帶，是爲了同敵軍比武鬥力；行動快如飛箭，就像撥動了弩弓的發矢機，是爲了擊破敵軍精心設置的佈局；巧妙地埋伏，設置奇兵，虛張聲勢，欺騙誘惑，是爲了擊破敵軍，擒獲將領；將全軍分成若干小隊，四面出擊，多頭進攻，是爲了擊破敵軍或圓或方的陣勢；乘敵軍驚慌失措的時候發動進攻，是爲了實現以一擊十的目的；乘敵軍疲勞睏倦、夜晚宿營的時候發動進攻，是爲了實現以十擊百的目的；利用各種巧妙的技術和器械，是爲了越過深水、渡過江河；使用強大的弓和長兵器，是爲了滿足踰水作戰的需要；廣佈哨卡，派人到遠方偵察，迅速行動，假裝退兵，是爲了攻破城池降服敵軍；故意大聲鼓噪喧嘩前進，是爲了乘機施行奇妙的計謀；乘着大風驟雨發動進攻，是爲了實現在前搏擊、在後擒拿的目的；假扮成敵軍的使者，潛入敵境，是爲了切斷敵軍的運糧通道；冒用敵軍的號令，穿上敵軍的服飾，是爲了在戰局不利時退兵逃走；在戰前一定向士兵灌輸大義，是爲了激勵士兵戰勝敵人；加重封爵、獎賞的力度，是爲了讓將士更加努力地效命；施行嚴刑重罰，是爲了鞭策疲困怠惰的人努力上進；有喜有怒、有獎賞有處罰、有禮有威、有弛有張，是爲了協調軍隊的意志、統一上下的行動；占領高曠地帶，是爲了加強警誡和守備；保住險要地帶，是爲了鞏固防禦；駐紮在深山密林，是爲了隱藏軍隊的往來行跡；深挖壕溝築高壁壘，廣儲糧食，是爲了準備持久作戰。

原文 「故曰：不知戰攻之策，不可以語敵；不能分移①，不可以語奇；不通治亂，不可以語變。

注釋 ①分散轉移：分散轉移，即靈活機動地使用兵力。

譯文 「所以說：不懂得攻城和野戰的策略，就不能同他談論對敵作戰的計謀；不懂得靈活機動地使用兵力，就不能同他談論出奇制勝的計謀；不通曉軍隊治亂的關係，就不能同他談論隨機應變的計謀。

原文 **「故曰：將不仁，則三軍不親；將不勇，則三軍不銳；將不智，則三軍大疑；將不明，則三軍大傾①；將不精微，則三軍失其機；將不常戒，則三軍失其備；將不強力，則三軍失其職。故將者人之司命②，三軍與之俱治，與之俱亂；得賢將者，兵強國昌；不得賢將者，兵弱國亡。」**

武王曰：「善哉！」

注釋 ①傾：傾倒，無所依仗。②司命：掌握命運。也指關係命運者。

譯文 「所以說：主將不仁慈，就得不到將士的擁護；主將不勇敢，將士就沒有鬥志；主將不機智，將士心中就會產生疑懼；主將治軍不明察，軍隊就會傾倒而無所依仗；主將考慮問題不審詳，軍隊就會失去戰勝的時機；主將缺乏警惕，軍隊就會失去應有的警備；主將不堅強果敢，軍隊就會鬆懈怠惰，玩忽職守。所以，主將是軍隊的主宰，主將嚴正，軍隊就會得到很好的治理；主將無能，軍隊就會混亂。得到了賢明能幹的主將，軍隊就會強大，國家就會昌盛；得不到賢明能幹的主將，軍隊就會衰弱，國家就會覆亡。」

武王說：「您說得真好啊！」

五音第二十八

原文 **武王問太公曰：「律音①之聲，可以知三軍之消息，勝負之決乎？」**

太公曰：「深哉！王之問也。夫律管十二，其要有五音——宮、商、角、徵、羽，此其正聲②也，萬代不易。五行③之神，道之常也。可以知敵。金、木、水、火、土，各以其勝攻之。

注釋 ①律音：指十二律、五音。律是中國古代審定樂音高低的標準，分爲六律（陽律）和六品（陰律）。合稱「十二律」。五音是中國古代五聲音階中的五個音級，即宮、商、角、徵、羽。②正聲：指符合音律的標準樂聲。③五行：古人認爲天地萬物都是由金、木、水、火、土五種基本元素構成，稱爲「五行」。

譯文 武王問太公說：「通過十二律和五音，能夠判斷軍隊的盛衰強弱等情況，以及預知戰爭的勝負嗎？」

太公回答：「您所問的這個問題十分深奧啊！律管共有十二個音階，其中主要的音有五種—宮、商、角、徵、羽，這是符合音律的標準樂聲，永世不變。五行所體現的微妙神機，是天地變化的普遍規律。憑借這一規律可以預測敵情的變化。金、木、水、火、土，各以其相互生克取勝。

原文 「古者三皇之世，虛無之情①以制剛強。無有文字，皆由五行。五行之道，天地自然。六甲②之分，微妙之神。其法：以天清靜，無陰雲風雨，夜半，遣輕騎往至敵人之壘，去九百步外，遍持律管當耳，大呼驚之。有聲應管③，其來甚微。角聲應管，當以白虎④；徵聲應管，當以玄武⑤；商聲應管，當以朱雀⑥；羽聲應管，當以勾陳⑦；五管聲盡不應者，宮也，當以青龍⑧。此五行之符，佐勝之徵，成敗之機。」

武王曰：「善哉！」

太公曰：「微妙之音，皆有外候⑨。」

武王曰：「何以知之？」

太公曰：「敵人驚動則聽之。聞枹⑩鼓之音者，角也；見火光者，徵也；聞金鐵矛戟之音者，商也；聞人嘯呼之音者，羽也；寂寞無聞者，宮也。此五者，聲色之符也。」

注釋 ①虛無之情：指虛無寧靜、自然無爲的狀態。②六甲：古時用天干與地支配成六十組干支，其中以「甲」起頭的有甲子、甲戌、甲申、甲午、甲辰、甲寅，稱爲「六甲」。五行方術認爲六甲循環推數，可以預測吉凶。③有聲應管：指在某一律管發出相應的聲音。④白虎：古代天文學把黃道上的恒星分爲二十八個星座，即二十八宿。白虎本是西方七宿的合稱，因此代指西方，又因爲西方屬金，所以白虎被稱爲金之神。⑤玄武：本是北方七宿的合稱，因此代指北方，又因爲北方屬水，所以玄武被稱爲水之神。⑥朱雀：本是南方七宿的合稱，因此代指南方，又因爲南方屬火，所以朱雀被稱爲火之神。⑦勾陳：古代天文學所定的一個星座，共有六顆恒星，勾陳即北極星。從地球上看，北極星的位置永遠不變，被群星環繞，因此又用來代指中央。因爲中央屬土，所以勾陳被稱爲土之神。⑧青龍：本是東方七宿的合稱，因此代指東方，又因爲東方屬木，所以青龍被稱爲木之神。⑨外候：外露的徵候。⑩枹：鼓錘。

譯文

「上古三皇之時，崇尚虛無無爲，以柔克剛。當時沒有文字，一切都依據五行相生相克行事。五行相互生克的規律，就是天地演變、自然變化的規律。六甲分合體現出最微妙的神機。通過律管的聲音來探測軍情的方法是：在天空清澈明淨，沒有陰雲風雨時，於半夜派遣輕騎前往敵軍營壘，在距敵營九百步之外的地方，手拿十二支律管放在耳邊，向敵軍大聲呼喊以驚動他們。過一會兒，會有相應的聲音從某一律管中發出，這聲音十分微弱。如果律管中相應發出的是角聲，角聲屬木，金能克木，就應當根據白虎所代表的方位從西方攻打敵人；如果律管中相應發出的是徵聲，徵聲屬火，水能克火，就應當根據玄武所代表的方位從北邊攻打敵人；如果律管中相應發出的是商聲，商聲屬金，火能克金，就應當根據朱雀所代表的方位從南邊進攻敵人；如果律管中相應發出的是羽聲，羽聲屬水，土能克水，就應當根據勾陳所代表的方位從中央攻打敵人；所有律管都沒有發出相應的聲音，這表示傳來的是宮聲，宮聲屬土，木能克土，應當根據青龍所代表的方位從東邊攻打敵人。所有這些就是五行生克的應驗，可以用來預測勝利的徵兆，是成功或失敗的關鍵。」

武王說：「太妙了！」

太公說：「這些從律管中發出的微妙的聲音，都有外在的徵候。」

武王問：「怎麼才能知道呢？」

太公回答：「當敵人被驚動時就仔細傾聽。如果聽到鼓聲，這就是與角聲相應；如果見到火光，這是與徵聲相應；如果聽到金鐵矛戟等各種兵器聲，這是與商聲相應；如果聽到敵人的呼叫聲，這是與羽聲相應；如果寂靜無聲，這是與宮聲相應。這五種音律與外界的動靜是相符合的。」

兵徵第二十九

原文 **武王問太公曰：「吾欲未戰先知敵人之強弱，預見勝負之徵，爲之奈何？」**

太公曰：「勝負之徵，精神①先見，明將察之，其敗在人。謹候②敵人出入進退，察其動靜，言語妖祥③，士卒所告。凡三軍說懌④，士卒畏法，敬其將命，相喜以破敵，相陳以勇猛，相賢以威武，此強徵也。三軍數驚，士卒不齊，相恐以敵強，相語以不利，耳目相屬⑤，妖言不止，衆口相惑，不畏法令，不重其將，此弱徵也。

注釋 ①精神：這裏指將士的精神面貌。②候：伺望，偵伺。③妖祥：吉凶。妖，凶惡。祥，吉祥。④說懌：喜悅。⑤耳目相屬：這裏指互爲耳目，打聽消息。屬，連屬，跟從。

譯文 武王問太公說：「我想在尚未交戰之前預先知道敵人的強弱，預見戰鬥勝負的徵兆，應該怎麼辦？」

太公答道：「勝敗的徵兆，在還沒有交戰之前，首先在兩軍的精神面貌上就有所表現，精明的將帥能夠覺察到這一點，但是能否利用這一點來打敗敵人，就體現在人的主觀努力上。應該周密地偵伺敵軍出入進退的情況，察看敵軍的動靜，並且要瞭解敵軍將士所談論的吉凶預兆和相互議論的事情。凡是全軍都心情愉悅，士卒畏懼並遵守法令，尊重將帥，服從將帥的命令。將士們相互以破敵爲喜，相互以勇猛爲榮耀，相互以威武爲賢能，這些都是軍隊強大的徵兆。如果全軍上下屢次受到驚動，士兵散亂行列不整，彼此都因敵人的強悍而恐懼，相互傳播作戰不利的消息，互相打聽消息，議論紛紛，互相鼓動煽惑，不畏懼法令，不尊重將帥，這些都是軍隊虛弱的徵兆。

原文 **「三軍齊整，陳勢已固，深溝高壘，又有大風甚雨之利，三軍無故①，旌旗前指，金鐸②之聲揚以清，鼙③鼓之聲宛以鳴，此得神明之助，大勝之徵也。行陳不固，旌旗亂而相繞，逆大風甚雨之利，士卒恐懼，氣絕而不屬④，戎馬驚奔，兵車折軸，金鐸之聲下以濁，鼙鼓之聲濕如沐，此大敗之徵也。」**

注釋 ①無故：沒有事故，平靜安定。這裏指不待命令而行動。②金鐸：古樂器，「四金」之一，形似大鈴，軍中用來警衆。③鼙：古代軍中用的一種小鼓。④不屬：不相連接。引申爲渙散。

譯文 「全軍隊列整齊，陣勢堅固，深挖壕溝，高築壁壘，又憑借大風驟雨的有利氣候條件，三軍不待命令而旌旗飄揚指向前方，金鐸的聲音高昂清亮，鼙鼓的聲音婉轉而嘹亮，這些是軍隊得到神明幫助，一定會獲得大勝的徵兆。行陣不穩固，旌旗雜亂方向不明，在大風驟雨中處於逆風的不利位置，士卒恐懼驚駭，士氣衰竭而渙散，軍馬受驚狂奔，戰車軸木折斷，金鐸的聲音低沈而混濁，鼙鼓的聲音沈悶而壓抑，這些是軍隊大敗的徵兆。」

原文 **「凡攻城圍邑：城之氣色如死灰①，城可屠；城之氣出而北，城可克；城之氣出而西，城必降；城之氣出而南，城不可拔；城之氣出而東，城不可攻；城之氣出而復入，城主②逃北；城之氣出而覆我軍之上，軍必病③；城之氣出高而無所止，用兵長久。凡攻城圍邑，過旬不雷不雨，必亟去之，城必有大輔④。此所以知可攻而攻，不可攻而止。」**

武王曰：「善哉！」

注釋 ①死灰：灰白色。②城主：守城的主將。③病：困苦。④大輔：卓越的輔佐之人。

譯文 「通常包圍、進攻城邑的原則有：如果城中的雲氣是灰白色的，那麼該城可以被毀滅，如果城中的雲氣出城而向北流動，那麼該城可以被攻克；如果城中的雲氣出城而向西流動，那麼該城即將向我軍投降；如果城中的雲氣出城而向南流動，那麼該城就堅不可拔；如果城中的雲氣出城而向東流動，那麼不能輕易進攻該城；如果城中的雲氣出城之後又入城，那麼該城的主將一定會出逃；如果城中的雲氣出城並覆蓋我軍，那麼我軍一定會遭到不利；如果城中的雲氣高昇而不停止，那麼戰事將曠日持久。凡是圍攻敵人的城邑，如果過了十天仍不打雷下雨，一定要立即撤兵離去，因爲城中一定有才能卓越的輔佐之人。瞭解這些，就知道可攻就攻，不可攻就停止的道理了。」

武王說：「您說得眞好啊！」

農器第三十

原文 武王問太公曰：「天下安定，國家無事①，戰攻之具，可無修②乎？守禦之備，可無設乎？」

太公曰：「戰攻守禦之具，盡在於人事。耒耜③者，其行馬④蒺藜也。馬、牛、車、輿⑤者，其營壘蔽櫓⑥也。鋤耰⑦之具，其矛戟也。蓑薛⑧簦笠⑨者，其甲冑干楯也。钁⑩、鍤、斧、鋸、杵、臼，其攻城器也。牛馬，所以轉輸糧用也。鷄犬，其伺候⑪也。婦人織紝⑫，其旌旗也。丈夫平壤，其攻城也。春鏺⑬草棘，其戰車騎也。夏耨⑭田疇，其戰步兵也。秋刈⑮禾薪，其糧食儲備也。冬實倉廩，其堅守也。田里⑯相伍，其約束符信也。里有吏，官有長，其將帥也。里有周垣⑰，不得相過，其隊分也。輸粟收芻⑱，其廩庫也。春秋治城郭，修溝渠，其塹壘也。

注釋 ①事：指戰事。②修：置備。③耒耜：古代耕地翻土的農具。耒爲其柄，耜爲其鏟，形狀與犁相似。④行馬：拒馬，一種堵塞道路的障礙器材，用來防止敵軍車騎衝突。⑤輿：車中裝載東西的部分，後泛指車。⑥蔽櫓：用作觀察敵情的望樓。

⑦耰：古代弄碎土塊、平整土地的農具。⑧蓑薛：草編的雨衣。⑨簦笠：遮雨的器具。簦，古時有柄的笠，即雨傘，笠，戴在頭上的斗笠。⑩钁：一種形似鎬的刨土農具。⑪伺候：窺伺，窺測。⑫紝：織布、帛的絲縷。⑬鏺：古農具，似鐮，用於割草。這裏用作動詞，割草。⑭耨：耘田除草。⑮刈：割。⑯田里：田地和住宅，這裏代指農戶。⑰周垣：爲四周的墻垣。⑱芻：喂飼牛馬的草料。

譯文 武王問太公說：「天下安定，國家沒有戰事，用於野戰、攻城的器械，可以不去置備嗎？用於防守禦敵的設施，可以不去設置嗎？」

太公回答：「戰時用於攻戰守禦的器械，實際上全在百姓日常生產和生活中。耕地用的耒耜，可以用作拒馬、蒺藜等障礙器材。各種馬車和牛車，可以用作營壘和藏身的蔽櫓。鋤耰等農具，可以用作戰鬥的矛戟。蓑衣、雨傘和斗笠，可以用作戰鬥的盔甲和盾牌。钁、鍤、斧、鋸、杵、臼，可以用作攻城器械。牛馬，可以用來運輸軍糧。鷄狗，可以用來窺伺。婦女紡織的布帛，可以用來做戰旗。男子平整土地，就相當於攻城。春季割草除棘，就相當於同敵軍的戰車騎兵作戰。夏季耘田鋤草，就相當於同敵步兵作戰。秋季收割莊稼柴草，就相當於備戰糧秣。冬季糧食堆滿倉庫，就相當於爲戰時的長期堅守做準備。同村同里的人相編爲伍，就相當於戰時軍隊編組和管理。里設長吏，官府有長，就相當於充任軍隊的軍官。里之間修築圍牆，不得踰越，就相當於軍隊的駐地區分。運輸糧食，收取飼料，就相當於軍隊的後勤儲備。春秋兩季修築城郭，疏浚溝渠，就相當於修治壁壘、溝壕。

原文 「故用兵之具，盡在於人事也。善爲國者，取於人事。故必使遂其六畜①，辟其田野，安其處所。丈夫治田有畝數，婦人織紝有尺度，是富國強兵之道也。」

武王曰：「善哉！」

注釋　①六畜：指馬、牛、羊、鷄、狗、豬。

譯文　「所以作戰的器械，全都在於平時的生產和生活之中。善於治理國家的人，都取法並利用平時的生產和生活。所以必須使百姓大力繁殖六畜，開墾土地，安定住所，男子種田達到一定的畝數，婦女紡織完成一定的尺數，這就是富國強兵的方法。」

武王說：「您說得眞好啊！」

虎韜

軍用第三十一

原文　**武王問太公曰：「王者舉兵，三軍器用，攻守之具，科品眾寡，豈有法乎？」**

太公曰：「大哉，王之問也！夫攻守之具，各有科品①，此兵之大威也。」

注釋　①科品：種類，等級。

譯文　武王問太公說：「有志於成就王業的國君興兵作戰，軍隊的武器裝備和攻守器械，它們的種類和數量的多少，難道有一定的標準嗎？」

太公回答：「您問的這個問題的確是一個大問題啊！攻守的器械，各有不同的種類和數量，這是關係到軍隊威力強弱的大問題。」

原文　**武王曰：「願聞之。」**

太公曰：「凡用兵之大數①，將甲士萬人，法用：武衛大扶胥②三十六乘。材士③強弩矛戟爲翼，一車二十四人推之，以八尺車輪，車上立旗鼓。兵法謂之震駭，陷堅陳④，敗強敵。

注釋　①大數：大概之數。②武衛大扶胥：一種大型兵車的名稱，設有大盾。扶胥，戰車的別名。③材士：勇猛而武藝高強的戰士。④陳：同「陣」。

譯文　武王說：「我想聽聽詳細內容。」

太公回答：「凡是用兵作戰，武器裝備有個大概的數目，統率甲士萬人，所需武器裝備是：武衛大扶胥三十六輛。由勇猛而武藝高強的戰士使用強弩、矛、戟在兩旁護衛，每車二十四人推行，車輪的高度爲八尺，車上豎旗立鼓。兵法上把這種戰車稱爲震駭，可以用來攻破堅陣，擊敗強敵。

原文 **「武翼大櫓矛戟扶胥①七十二具。材士強弩矛戟爲翼，以五尺車輪，絞車②連弩③自副，陷堅陣，敗強敵。**

注釋 ①武翼大櫓矛戟扶胥：一種兵車的名稱，裝備掩蔽裝置並設有矛戟。②絞車：一種用來張開強弩的牽引機械。③連弩：裝有機括，可以接連發射數支箭矢的弩。

譯文 「武翼大櫓矛戟扶胥七十二輛。由勇猛而武藝高強的戰士使用強弩、矛、戟在兩旁護衛，車輪高五尺，車上設有用絞車發射的連弩作爲輔助裝備，可以用來攻破堅陣，擊敗強敵。

原文 **「提翼小櫓扶胥①一百四十四具。絞車連弩自副，以鹿車②輪，陷堅陣，敗強敵。**

國殤將士鎧甲戰車
屈原《國殤》中威武的士兵的形象：操吳戈兮披犀甲，車錯轂兮短兵接。

輜車騎寇疑有誤字電車言其忽往忽來如電之疾也故兵法謂之電擊

注釋 ①提翼小櫓扶胥：一種兵車的名稱，裝備掩蔽裝置，但形製較小。②鹿車：一種人力推挽的小車。

譯文 「提翼小櫓扶胥一百四十四輛。車上設有用絞車發射的連弩作爲輔助裝備，這種車車輪較小，與鹿車相同，可以用來攻破堅陣，擊敗強敵。

原文 **「大黃參連弩大扶胥①三十六乘。材士強弩矛戟爲翼，飛鳧、電影②自副。飛鳧，赤莖白羽，以銅爲首；電影，青莖赤羽，以鐵爲首。晝則以絳縞③，長六尺，廣六寸，爲光耀；夜則以白縞，長六尺，廣六寸，爲流星。陷堅陳，敗步騎。**

注釋 ①大黃參連弩大扶胥：一種兵車的名稱，裝備大黃和連弩。大黃，一種強弩的名稱。參，互相摻雜。②飛鳧、電影：兩種箭的名稱。③絳縞：一種深紅色的生絹。

譯文 「大黃參連弩大扶胥三十六輛。由勇猛而武藝高強的戰士使用強弩、矛、戟在兩旁護衛，車上設有飛鳧和電影作爲輔助裝備。所謂飛鳧，是一種紅杆白羽的箭，箭頭用銅製造；所謂電影，是一種青杆紅羽的箭，箭頭用鐵製造。白天車上飄揚着用深紅色的絹製作的旗子，長六尺，寬六寸，名叫光耀；夜間車上飄揚着用白色的絹製作的旗子，長六尺，寬六寸，名叫流星。這種戰車可以用來攻破堅陣，擊敗敵人的步兵和騎兵。

原文 **「大扶胥衝車三十六乘。螳螂武士①共載，可以擊縱橫，可以敗敵。**

注釋 ①螳螂武士：因螳螂舉臂有奮擊之勢，所以用來作爲武士的稱號。

譯文 「大扶胥衝車三十六輛。車上載乘螳螂武士，可以用來縱橫衝擊，擊敗強敵。

原文 **「輜車騎寇①，一名電車，兵法謂之電擊。陷堅陳，敗步騎。**

注釋 ①輜車騎寇：一種輕型兵車的名稱。

【譯文】「輜車騎寇，也叫電車，兵法上稱爲電擊。可以用來攻破堅陣，擊敗敵人的步兵和騎兵。

【原文】**「寇夜來前，矛戟扶胥輕車[1]一百六十乘。螳螂武士三人共載，兵法謂之霆擊。陷堅陳，敗步騎。**

【注釋】①矛戟扶胥輕車：一種裝備矛戟的輕型兵車。

【譯文】「敵人趁黑夜前來突襲，宜用矛戟扶胥輕車一百六十輛。每車上載乘螳螂武士三人，兵法上稱爲霆擊。可以用來攻破堅陣，擊敗敵人的步兵和騎兵。

【原文】**「方首鐵棓維朌[1]，重十二斤，柄長五尺以上，千二百枚，一名天棓。大柯斧[2]，刃長八寸，重八斤，柄長五尺以上，千二百枚，一名天鉞。方首鐵鎚，重八斤，柄長五尺以上，千二百枚，一名天鎚。敗步騎群寇。**

【注釋】①方首鐵棓維朌：一種大方頭的鐵棒。棓，通「棒」。朌，頭大的樣子。②大柯斧：長柄斧頭。柯，斧柄。

【譯文】「方首鐵棓維朌，重十二斤，柄長五尺以上，共置一千二百根，這種武器又稱天棓。大柯斧，刃長八寸，重八斤，柄長五尺以上，共置一千二百把，這種武器又稱天鉞。方首鐵鎚，重八斤，柄長五尺以上，共置一千二百把，這種武器又稱天鎚。這些武器都可以用來擊敗敵人的步兵和騎兵。

【原文】**「飛鉤[1]長八寸，鉤芒[2]長四寸，柄長六尺以上，千二百枚，以投其衆。**

【注釋】①飛鉤：古代兵器，似劍而曲，可用來鉤取敵人。②鉤芒：鉤的鋒芒。

【譯文】「飛鉤，長八寸，鉤的鋒芒長四寸，柄長六尺以上，共置一千二百枚，可以用來投擲鉤傷敵軍。

【原文】**「三軍拒守，木螳螂劍刃扶胥[1]，廣二丈，百二十具，一名行馬。平易地，以步兵敗車騎。**

【注釋】①木螳螂劍刃扶胥：一種用以拒守的木製兵車，形似螳螂，有尖刃向外，用來防止敵軍騎兵衝突。

【譯文】「軍隊防守時，應使用木螳螂劍刃扶胥，寬兩丈，共置一百二十具，這種兵車又稱行馬。在平坦開闊的地形上使用，步兵可以用它來擊敗敵軍的車兵和騎兵。

【原文】**「木蒺藜①，去地二尺五寸，百二十具。敗步騎，要窮寇，遮走北②。」**

【注釋】①木蒺藜：用木料製成的形如蒺藜的有刺障礙物。
②「要窮寇」二句：要、遮，均爲攔截的意思。

【譯文】「木蒺藜，設置時要離地面二尺五寸，共置一百二十具。可以用來擊敗敵軍的步兵和騎兵，攔截勢窮力竭的敵人，截堵潰敗逃跑的敵人。

【原文】**「軸旋短衝矛戟扶胥①，百二十具，黃帝所以敗蚩尤氏②。敗步騎，要窮寇，遮走北。**

【注釋】①軸旋短衝矛戟扶胥：一種用於據守的兵車，配備有衝角、矛戟，可以旋轉。②蚩尤氏：傳說中九黎部落首領，能呼風喚雨，勇猛善戰，後與黃帝爭奪中原，在涿鹿大戰，失敗被殺。

【譯文】「軸旋短衝矛戟扶胥一百二十輛，黃帝曾使用這種兵車打敗蚩尤。可以用來擊敗敵人的步兵和騎兵，攔截勢窮力竭的敵人，截堵潰敗逃跑的敵人。

【原文】**「狹路微徑①，張鐵蒺藜，芒高四寸，廣八寸，長六尺以上，千二百具。敗步騎。**

【注釋】①微徑：小路。

【譯文】「在隘道、小路上，佈設鐵蒺藜，鐵蒺藜刺高四寸，寬八寸，長六尺以上，共置一千二百具。可以用來擊敗敵軍的步兵和騎兵。

【原文】**「突暝①來前促戰，白刃接，張地羅②，鋪兩鏃蒺藜③，參連織女④，芒間相去二寸，萬二千具。曠野草中，方胸鋌矛⑤，千二百具。張鋌矛法：高一尺五寸。敗步騎，要窮寇，遮走北。**

【注釋】①突暝：在天色黑暗時突襲。②地羅：地網。③兩鏃蒺藜：有兩個向上尖刺的蒺藜。④參連織女：一種將蒺藜連綴在一起的障礙物。織女，本是一種與蒺藜類似的草，這裏指一種帶有尖刺的障礙物。⑤方胸鋋矛：齊胸的小矛。鋋矛，短柄小矛。

【譯文】「敵人乘着黑夜來突襲，白刃相接，這時應張設地網，佈置兩鏃蒺藜和參連織女，尖刺之間相隔二寸，共置一萬二千個。在曠野深草地帶作戰，應設置齊胸的小矛，共置一千二百柄。佈設小矛的方法是：使它高出地面一尺五寸。可以用這些武器來擊敗敵軍的步兵和騎兵，攔截勢窮力竭的敵人，截堵潰敗逃跑的敵人。

【原文】**「狹路、微徑、地陷，鐵械鎖①參連②，百二十具。敗步騎，要窮寇，遮走北。**

【注釋】①鐵械鎖：這裏指鐵鎖鏈。②參連：相連。

【譯文】「在隘道、小路和低窪的地形上，可以張設相連的鐵鎖鏈，共置一百二十具。可以用來擊敗敵軍的步兵和騎兵，攔截勢窮力竭的敵人，截堵潰敗逃跑的敵人。

【原文】**「壘門拒守，矛戟小櫓①，十二具，絞車連弩自副。**

【注釋】①矛戟小櫓：一種設有矛戟和小盾牌的兵車。

【譯文】「守衛營門，用矛戟小櫓十二輛，車上設有絞車、連弩作爲輔助裝備。

【原文】**「三軍拒守，天羅虎落鎖連①一部，廣一丈五尺，高八尺，百二十具。虎落劍刃扶胥②，廣一丈五尺，高八尺，五百二十具。**

【注釋】①天羅虎落鎖連：一種防禦裝備。天羅，綴有蒺藜的網。虎落，竹籬。②虎落劍刃扶胥：一種兵車的名稱，車廂四周有竹籬和外向的尖刀。

【譯文】「軍隊進行守禦時，應設置的是天羅虎落鎖連，寬一丈五尺，高八尺，需置一百二十具。並設置虎落劍刃扶胥，寬一丈五尺，高八尺，需置五百二十輛。

原文 「渡溝塹飛橋①，一間廣一丈五尺，長二丈以上，著轉關轆轤②，八具，以環利通索張之。

注釋 ①飛橋：軍用渡河裝置，如浮橋之類。②轉關轆轤：一種起重裝置，用來吊起飛橋或轉移方向。

譯文 「渡越溝塹，要設置飛橋，飛橋寬爲一丈五尺，長兩丈以上，飛橋上裝備轉關轆轤，需置八架，用鐵環和長繩架設。

原文 「渡大水飛江①，廣一丈五尺，長二丈以上，八具，以環利通索張之。天浮鐵螳螂②矩內圓，外徑四尺以上，環絡③自副，三十二具。以天浮張飛江，濟大海，謂之天潢④，一名天舡⑤。

注釋 ①飛江：浮橋。②天浮鐵螳螂：一種用來連接浮橋，並增加浮橋長度的裝置。③環絡：鐵環和繩索。④天潢：作戰渡水用的大船。⑤舡：同「船」。

譯文 「橫渡江河使用飛江，飛江寬一丈五尺，長兩丈以上，共需八架，用鐵環和長繩把它們連接在一起。天浮鐵螳螂，內呈圓形，外徑四尺以上，並用鐵環和繩索連接，共需三十二具。用天浮架設飛江，可以橫渡大河，這種渡河工具稱爲天潢，也叫天舡。

原文 「山林野居，結虎落柴營①，環利鐵鎖，長二丈以上，千二百枚。環利大通索，大四寸，長四丈以上，六百枚。環利中通索，大二寸，長四丈以上，二百枚。環利小徽縲②，長二丈以上，萬二千枚。

注釋 ①柴營：營寨。②縲：繩索。這裏指鐵索。

譯文 「軍隊在山林野外宿營，應用木材結成繞有竹籬的虎落營寨，用鐵環長繩鎖連，每條長兩丈以上，共需一千二百條。帶鐵環的大繩索，鐵環粗四寸，繩長四丈以上，共需六百條。帶鐵環的中等繩索，鐵環粗兩寸，繩長四丈以上，共需二百條。帶鐵環的小號繩索，每條長兩丈以上，共需一萬二千條。

原文 「天雨蓋重車上板，結枲鉏鋙①，廣四尺，長四丈以上。

車一具，以鐵杙②張之。

注釋 ①結枲鉏鋙：指在木板上契刻齒槽，使之與戰車吻合。枲，麻。鉏鋙，排列成鋸齒狀。②杙：橛，樁子。

譯文 「天下雨時，輜重車要蓋上車頂板，板上刻有齒槽，並使齒槽與車子吻合，每副木板寬四尺，長四丈以上。每輛車配置一付，並用鐵杙加以固定。

原文 **「伐木大斧，重八斤，柄長三尺以上，三百枚；棨钁①刃廣六寸，柄長五尺以上，三百枚；銅築②固為垂，長五尺以上，三百枚；鷹爪方胸鐵杷，柄長七尺以上，三百枚；方胸鐵叉，柄長七尺以上，三百枚；方胸兩枝鐵叉，柄長七尺以上，三百枚。**

注釋 ①棨钁：一種大鋤頭。②築：搗土的杵。

譯文 「砍伐樹木用的大斧，重八斤，柄長三尺以上，共三百把；棨钁，刃寬六寸，柄長五尺以上，共三百把；銅築固大鎚，長五尺以上，共三百把；鷹爪方胸鐵耙，柄長七尺以上，共三百把；方胸鐵叉，柄長七尺以上，共三百把；方胸兩枝鐵叉，柄長七尺以上，共三百把。

原文 **「芟①草木大鐮，柄長七尺以上，三百枚；大櫓刀②，重八斤，柄長六尺，三百枚；委環鐵杙，長三尺以上，三百枚；椓③杙大鎚，重五斤，柄長二尺以上，百二十具。**

注釋 ①芟：除草。②大櫓刀：大砍刀。③椓：敲，捶。

譯文 「剪除草木用的大鐮，柄長七尺以上，共三百把；大砍刀，重八斤，柄長六尺，共三百把；帶環的鐵橛，長三尺以上，共三百個；捶橛用的大鐵鎚，重五斤，柄長二尺以上，共一百二十把。

原文 **「甲士萬人，強弩六千，戟楯二千，矛楯二千，修治攻具，砥礪①兵器巧手三百人，此舉兵軍用之大數也。」**

武王曰：「允哉！」

注釋 ①砥礪：磨刀石，此處作動詞用。

修治欲其常完也砥礪欲其常銳允者信其言也

譯文　「軍隊萬人，需要裝備強弩六千張，戟和大盾兩千套，矛和小盾兩千套，以及修理作戰器具和磨礪兵器的能工巧匠共三百人，以上就是興兵作戰所需要的裝備器材的大致數目。」

武王說：「您講得眞對啊！」

三陣第三十二

原文　武王問太公曰：「凡用兵爲天陳①、地陳②、人陳③，奈何？」

太公曰：「日月、星辰、斗杓④，一左一右，一向一背，此謂天陳；丘陵、水泉，亦有前後左右之利，此謂地陳；用車用馬，用文用武，此謂人陳。」

武王曰：「善哉！」

注釋　①天陳：根據天象擺開陣勢。陳，同「陣」。②地陳：根據地形擺開陣勢。③人陳：根據人事擺開陣勢。④斗杓：指北斗，亦即今天所稱大熊星座中七顆較亮的星，在北天排列成斗（杓）形，其中四星組成斗身，三星組成斗柄。

譯文　武王問太公說：「用兵作戰時，有所謂天陣、地陣和人陣，應該怎麼理解呢？」

太公回答說：「根據日月、星辰、北斗星在我軍前後左右的具體位置來擺開陣勢，就是所謂的天陣；利用丘陵、水澤等地形條件來擺開陣勢，就是所謂的地陣；根據所使用的戰車、騎兵等兵種和政治誘降或武力攻取等人事力量來擺開陣勢，就是所謂的人陣。」

武王說：「您說得眞好！」

疾戰第三十三

原文　武王問太公曰：「敵人圍我，斷我前後，絕我糧道，爲之奈何？」

太公曰：「此天下之困兵①也，暴②用之則勝，徐用之則敗。如此者，爲四武衝陳③，以武車驍騎，驚亂其軍，而疾擊之，可以橫行。」

注釋 ①困兵：處於困窘境地的軍隊。②暴：突然，迅速勇猛。③四武衝陣：四面都用戰車部隊來警誡的陣形。

譯文 武王問太公說：「如果敵軍包圍了我軍，截斷我軍前後的通路，斷絕我軍的糧道，在這種情況下應該怎麽辦呢？」

太公回答：「這就是所謂處於極端艱難困窘的境地的軍隊，在這種情況下，迅速勇猛地突圍就能勝利，行動緩慢遲疑就會失敗。在這種情況下，把軍隊佈成四面都有戰車警誡的陣形，使用強大的戰車和驍勇的騎兵，來驚動擾亂敵軍，乘其陷入混亂，迅速突擊，這樣就可以橫行無阻地突圍出去了。」

原文 **武王曰：「若已出圍地，欲因以爲勝，爲之奈何？」**

太公曰：「左軍疾左，右軍疾右，無與敵人爭道；中軍迭前迭後①。敵人雖衆，其將可走。」

注釋 ①迭前迭後：指交替地出現在左右軍的前面或後面。

譯文 武王問：「如果我軍已成功地突出重圍，想要乘勢戰勝敵軍，

又該怎麽辦呢？」

太公回答：「應該讓左軍迅速攻擊敵軍左翼，讓右軍迅速攻擊敵軍右翼，不要和敵人爭奪道路；同時以我中軍輪番支援左軍和右軍，或擊其前，或抄其後。這樣，敵軍雖然人數衆多，也能將其打敗。」

必出第三十四

原文 **武王問太公曰：「引兵深入諸侯之地，敵人四合而圍我，斷我歸道，絕我糧食。敵人既衆，糧食甚多，險阻又固，我欲必出，爲之奈何？」**

太公曰：「必出之道，器械爲寶，勇鬥爲首。審知敵人空虛之地，無人之處，可以必出。將士人持玄旗①，操器械，設銜枚②，夜出。勇力、飛足、冒將之士居前，平壘③爲軍開道。材士、強弩爲伏兵居後，弱卒車騎居中。陳畢徐行，愼無驚駭。以武衝扶胥前後拒守，武翼大櫓④以備左右。敵人若驚，勇力、冒將之士疾擊而前，弱卒車騎以屬其後，材士強弩隱伏而處。

審候敵人追我，伏兵疾擊其後，多其火鼓⑤，若從地出，若從天下，三軍勇鬥，莫我能禦。」

注釋 ①玄旗：黑色的旗幟。②銜枚：軍隊秘密行動時，讓兵士口中橫銜着枚，防止說話，以免敵人發覺。枚，形如筷子，兩端有帶，可繫於頸上。③平壘：攻占敵軍營壘。④武翼大櫓：一種防衛型戰車。⑤火鼓：火把和戰鼓。

譯文 武王問太公說：「率領軍隊深入敵國境內，敵人從四面包圍我軍，阻斷我軍的退路，截斷我軍的糧道。敵軍人數衆多，糧食充足，並占領了險要地形，守禦堅固，我想成功突圍，應該怎麼辦呢？」

太公回答：「成功突圍的方法，關鍵在於兵器裝備，而又以能奮勇戰鬥爲最重要。仔細查明敵人守備空虛，沒有設防的地點，乘虛而擊，就可以成功地突圍而出。突圍時將士們都持黑色的旗幟和器械，口中銜枚，在夜間展開行動。選擇勇敢有力、行動輕捷、敢於冒險犯難的將士在前面擔任先鋒，攻占敵人的營壘，爲全軍開道。選擇有技能而勇敢的武士帶着強弩，充當伏兵，隱匿在軍隊的後部；讓弱卒、車兵和騎兵在中間行進。陣形部署完畢後，緩慢地開始行動，小心從事，不要驚慌。把武衝扶胥放在軍隊的前面和後面進行護衛，用武翼大櫓在左右掩護。如果敵軍被驚動，我軍不能繼續隱蔽行動，就派遣軍隊中作爲先鋒部隊的勇敢有力、行動輕捷、敢於冒險犯難的將士迅速發起衝擊，向前推進，弱卒、車兵和騎兵隨之跟進，有技能而配備有強弩的武士則隱蔽地埋伏起來。確切地偵察到敵軍前來追擊我軍時，伏兵就迅速地從後面攻擊，並大量使用火把和戰鼓，造成我軍彷佛是從地下冒出，從天上降下的假象，這時全軍奮勇戰鬥，敵軍就不能阻止我軍的突圍了。」

原文 武王曰：「前有大水、廣塹、深坑，我欲踰渡，無舟楫之備。敵人屯壘，限①我軍前，塞我歸道，斥候②常戒，險塞盡中，車騎要我前，勇士擊我後，爲之奈何？」

太公曰：「大水、廣塹、深坑，敵人所不守，或能守之，其

卒必寡。若此者，以飛江、轉關與天潢以濟吾軍。勇力材士從我所指，衝敵絕③陳，皆致其死。先燔④吾輜重，燒吾糧食，明告吏士，勇鬥則生，不勇則死。已出者，令我踵軍設雲⑤火遠候，必依草木、丘墓⑥、險阻，敵人車騎必不敢遠追長驅。因以火爲記，先出者令至火而止，爲四武衝陣。如此，則吾三軍皆精鋭勇鬥，莫我能止。

武王曰：「善哉！」

注釋 ①限：這裏指阻斷、隔絕。②斥候：哨兵，也指偵察、候望的人。③絕：這裏指衝進、衝過。④燔：燒毀。⑤踵軍：後續部隊。雲火：烟火，形容火光高昇入雲。⑥丘墓：墳墓。

譯文 武王問：「如果我軍突圍的前方有大河、寬塹、深坑等障礙，我軍要越過這些障礙，但是又沒有準備船隻。敵軍屯兵築壘，阻止我軍前進，截斷我軍的退路，其哨兵又戒備不懈，險要的地形全被敵軍占領，敵軍的戰車、騎兵在前面攔截，勇士在後面攻擊，在這種情況下，應該怎麼辦呢？」

太公回答：「大凡大河、寬塹、深溝這些地方，往往是敵人不會設防的地方，即使設防，人數也一定很少。這樣，就可以利用飛江、轉關和天潢等工具將我軍渡過去。派遣勇猛的武士按照指定的方向，直衝敵陣，拼死戰鬥。先燒毀我軍的輜重，燒掉我軍的糧草，明確地向全軍將士宣告，勇猛作戰就能活下來，畏縮怯戰必死無疑。突出重圍之後，命令我軍的後續部隊設置大火堆，派出斥候在遠方警誡，占領叢林、墳墓和險阻地形，這樣一來，敵軍的戰車和騎兵就一定不敢長驅遠追。設置大火堆的目的，是以其爲信號指示先期突圍的部隊到有火的地方集結，並擺成四面都有警誡的四武衝陣。這樣，我軍的將士全都精鋭敢鬥，敵軍就不能阻止我軍了。」

武王說：「您說得眞好！」